高山正之
Masayuki Takayama

世界を破壊するものたちの正体

日本の覚醒が「グレート・リセット」の脅威に打ち勝つ

馬渕睦夫
Mutsuo Mabuchi

徳間書店

プロローグ——覚醒の契機

馬渕睦夫

世界は1月20日（米新大統領の就任式）を期して変わりました。表面上はディープ・ステートの代理人バイデン氏が新大統領に就任したことで、彼らの時代が復権したとの印象を持たれがちですが、実はアメリカでクーデター政権が誕生したという事実が、ディープ・ステートが支配した破壊文明（グローバリズム）から各国が自国民の幸せを優先する調和文明（愛国主義）へと世界の構造変革を惹起（じゃっき）したのです。

なぜこのような大変動が起きたのか、その背景と今後の展開について、歯に衣を着せない論客の高山正之氏と腹蔵（ふくぞう）なく語り合ったのが本書です。私たちはこれまで「陰謀論」として片づけられていたディープ・ステートが実際に存在していることを、実例を挙げて確認しました。ディープ・ステートの実態が暴かれた今日、次に取り組むべき課題として歴史修正主義を取り上げました。ディープ・ステートが書いた正統派歴史観に疑問を呈したのが歴史修正主義ですが、「陰謀論」と「歴史修正主義」というレッテルを貼って自らに気の喰わない言論を封殺してきた彼らの悪業を克服することが、本書のテーマである私たちの「覚醒」に繋がるからです。

トランプ大統領は昨年11月の大統領選挙において地滑り的勝利を得ました。それにもかかわらず、ディープ・ステート陣営の前代未聞の詐欺選挙によってホワイトハウスを去らなければなりませんでしたが、トランプ氏はアメリカ政治の舞台からは決して下りていません。現に、フロリダ州を拠点に、アメリカ建国精神に基づく新しい良き時代の到来を発信し続けています。トランプ氏の愛国の情熱に覚醒した多くのアメリカ市民が、今立ち上がっているのです。

アメリカで澎湃(ほうはい)とわき上がっているこの新しい政治運動は、一般の国民(ピープル)による精神的覚醒革命であり、過去100年にわたりアメリカを覆ってきた闇の支配を浄化する革命です。その影響はわが国を含む世界各地に拡大しつつあります。このような世界の精神革命の中にあって、わが国の生き残りのための方向性を示したいとの真摯な思いから、私たち二人の対談は大いに盛り上がりました。

私たちが感銘を受けたのは、トランプ氏が自らを育ててくれた国家の恩義にお返しをしたいとの思いから大統領職を目指したとの退任演説の一節です。お返しの人生こそ私自身の究極の使命感でもあり、高山氏も同じだと確信しています。私は外務公務員として奉職した40年間に国家や関係者の方々から受けた様々な恩義に何かお返ししたいとの気持ちから今日の言論活動を始めましたが、高山氏は産経新聞の記者として活躍された経験を基に、現役を去られた後も私たちが知らなかった世界の真実を発信し続けておられます。

対談においては、私たちは実名を出すことに躊躇（ちゅうちょ）しませんでした。真実に向き合うためにはそれだけの勇気が必要です。批判を避け、論点をぼやかすことは、自己保身にはなっても真実を遠ざけてしまいます。トランプ氏が離任演説でアメリカ国民の付託に応えるために敢えて困難な道を選んだと強調したように、私たちも安易な道ではなく、敢えて困難な道を選びました。実名を出して議論したのは、私たちが真実に正面から向き合おうと努めたからです。読者の方々にも、たとえそれが困難な道であっても勇気を持って真実に向き合って頂きたい。本書がそのための何らかの切っ掛けになれば、幸甚に思います。

時代は変わったと断言しましたが、実はこれからが正念場です。なぜなら、ディープ・ステートは自らの利権にしがみついて、これからも様々な攻撃を仕掛けて来るからです。その一つが本書で論じたように、今後の世界では言論統制が一層強まり、いわゆるポリティカル・コレクトネスに反する言論が封殺される恐れがあることです。既に、アメリカはじめわが国でも既存メディアや左翼リベラル勢力による言論統制が強化されつつあります。既存メディア界に身を置いてこられた高山氏の警告は、実体験に基づくものであるだけに説得力があります。

今回の大統領選挙報道を巡り、メインストリーム・メディアの度を越したフェイクニュースの実態が、私たちにも目に見える形で明らかになりました。彼らはディープ・ステートの代理人として世論の洗脳に当たってきたのです。詳しくは本書をお読みいただきたいのですが、メディアのこの役割の嚆矢(こうし)となったのがウィルソン大統領直轄の広報委員会(CPI)です。以後、アメリカ国民はメディアの洗脳によって真実から遠ざけられました。この状況は大なり小なりわが国でも同じで、日本のメディアはGHQのプレスコードに依然として縛られています。わが国を半永久的に犯罪国におとしめる東京裁判史観の呪縛です。

「もはや戦後ではない」と自前の経済発展に誇らしげに胸を張ったのは、1956年(昭和31年)の経済白書でした。しかし、それから65年経った今日でも、私たちは精神的にはGHQが敷いた戦後の歴史認識、自虐史観から逃れられないでいるのです。これを克服することが精神的戦後を終焉させることに繋がります。これこそ私たちに求められている覚醒です。私たちが名実ともに「戦後」を脱却する上で、本書が灯標の一つとなるならば、望外の幸せです。

実にタイミングよく本書が出版の日の目を見たのは、ひとえに徳間書店学芸編集部の力石幸一氏と浅川亨氏のご尽力のお蔭です。ここに記して感謝の意を表します。

馬渕睦夫

令和3年2月吉日

世界を破壊するものたちの正体
日本の覚醒が「グレート・リセット」の脅威に打ち勝つ

目次

第二章 歴史は語り繰り返す

第三章 縛られる日本

世界を破壊するものたちの正体
日本の覚醒が「グレート・リセット」の脅威に打ち勝つ

第四章　日本が覚醒する日

装丁／高谷アリ子

第一章

アメリカの現実

分断のアメリカ

高山　今回の大統領選挙でつまびらかになったのは、不正選挙をやってでもトランプを絶対にたたきつぶすんだ、という民主党の動き。それによって明らかになったのはアメリカがものすごい大分裂をしているということですよね。

馬渕　民主党支持者のほうはトランプがアメリカを分断したと言っているけれども、アメリカを決定的に分断させたのは民主党であって、4年前から完全に政党でなくなりましたね。そして、健全なアメリカの二大政党ではなくなったということが、今回あらためて証明されたわけです。

言い方はいろいろありますが、大規模な不正を働く勢力がアメリカに存在しているということが、世界中に知れわたった。我々はアメリカ建国の精神をイメージして、アメリカを民主主義の手本だと思ってしまいがちだけれども、実はとんでもない。

高山　バイデンは実力で、ましてや影響力で大統領になったわけではない。私は各所で〝終わった男〟なんて表現しているけれども、どうしようもない男が主役の座にいるから、それだけ実態が見えにくい。では裏にいるのは何者か、となるんですが、ぼやけているし、説明しにくい。けれども、今回の選挙の一連の流れでぼやけていたものが明確になってきた。

今まで、馬渕さんがおっしゃっておられたようなことに、私の中でも「そこまであるかな？」と、クエスチョンマークが常についていたんだけど、はっきり言うとクエスチョンマークがとれてしまった（笑）。

馬渕　言い得て妙と言いますか（笑）。

アメリカの国民にとっても、日本にとっても世界にとっても、ショックというか、大きな教訓は、そういうことだと思います。今まで何となく、そんなこと言う人はいたけれど「まさかそんなことはないだろう」と思っていたら、今回の件が起こった。

高山　〝正義と品位あるアメリカ〟というのが民主党の言い方だけれども、正義もなければ品位もなかった。歴史的に見ても常に他国の問題に首を突っ込んで、戦争を仕掛けてきたのがアメリカです。第一次世界大戦への参戦を決めたウッドロウ・ウィルソン（第28代大統領）、第二次世界大戦に参戦したフランクリン・ルーズベルト（第32代大統領）……、最近ではオバマ政権のときにヒラリー・クリントンが仕掛けた〝アラブの春（Arab Spring）〟。

もともと民主党は人種差別政党です。彼ら（南軍）は南北戦争に負けて、奴隷解放に応じたものの、南部では黒人隔離政策を続けていた。連邦政府が口出しできなかったのは、州法だったから。とはいえ、北軍のエイブラハム・リンカーン（第16代大統領）も狡い男で、奴隷解放、人道主義を北軍20州の旗印にしながら、ケンタッキー、ミズーリなど、それ以外の5州が奴隷州のまま北軍に残った。

さらに北軍の戦い方は非人道の極みで、その代表がウィリアム・シャーマン将軍。彼はアトランタを陥落させたあと、南軍の戦意を阻喪させるためと称して邸宅も街も鉄道も橋脚に至るまですべてを破壊し焼き尽くしたわけです。アトランタが消滅すると彼はそこから400km東の大西洋岸まで50km幅ですべてを焼き払っていった。

この作戦で南軍の将軍ロバート・リーが降伏して、62万人を殺した南北戦争は終わるわけですが、敗軍の将リーは足枷をはめられて晒し者にされた。

ご存知のように、民主党が仕掛けたシャーロッツビルの公園にあるリー将軍像の撤去問題で、「偉大なるわが国の歴史と文化が、美しい彫像や記念碑の撤去によって引き裂かれるのを見るのは悲しい」「ロバート・リーやストーンウォール・ジャクソンの次は誰だ？　ワシントンかジェファーソンか？　あまりにばかげている！」とトランプが言ったら、メインストリーム・メディアが「トランプが白人優越主義者を非難しなかった」と言い換えて騒いだわけです。

馬渕　〝奴隷解放のための戦争〟というのは、後で取ってつけたものですしね。

高山　名目づくりはうまいんですよ。奴隷解放は南部に対するネガティブ・キャンペーンだった。そんな民主党が戦後になって突然、〝弱者のための政党〟に鞍替えする。

社会的立場の弱い女性層やネイティブ・アメリカン、東欧系移民、ユダヤ系移民、アジア系、ラテン系といったマイノリティ、そしてLGBTQ（レズビアン、ゲイ、バイセクシャル、トランスジェンダー、クエスチョニング）に目をつけて……。いわゆるポリティカル・コレクトネス（political correctness）運動を始めた。

馬渕　高山さんはお詳しいと思うのですが、ベトナム戦争あたりからポリティカル・コレクトネスの運動が非常に強化されましたよね。

いまはポリ・コレと事実上同じですが、民主党は〝アイデンティティー・ポリティクス（identity politics）〟と言っています。どういうことかというと、差別助長政治みたいなものです。男と女では女が差別されている、白人と黒人では黒人が差別されている、実体はともかく、〝少数派が差別されている〟という前提で政治を行う。これは完全に分断政策といえます。

高山　私がアメリカ駐在から戻ってきたころですが、たまたまそのときに知り合いの在米日本人が破産して米国で生活保護を受けざるを得なくなった。ところが、生活保護の申し込みに行ったら、申し込み言語はもちろん英語、それにメキシカンやヒスパニックのためのスペイン語、中国語と韓国語はあったけれども日本語はなかったと手紙で教えてくれた。「たぶん、私が米国で生活保護を受ける第一号だろう」と自嘲的に書いていた。

でも、生活保護申請書というのは公文書ですよね。なんで4カ国語版があるのか調べてみた。そうしたら、ビル・クリントン（第42代アメリカ合衆国大統領）がパブリックサービスの多言語化というのをやっていたんです。

調べていて実に驚いたのが、アメリカで〝公用語を英語にする〟という法律があるということなんです。50州のうち32州が、〝あえて〟英語を公用語化しているんです。そこには「英語を使わなくてもいい」というような、極左集団のイデオロギーが渦巻いているのがわかります。

たとえばシアトルでキャピトルヒルが占拠され、警察権も及ばないような状況が出てくるという背景には、記す言葉も英語である必要はないという行き過ぎたポリ・コレがある。

アメリカが英語の公用化を法律で決めなければならないところまで来ているということです。言い換えれば、アメリカ国内の混乱は極限にまで達した。それが民主党の狙いでしょう。

馬渕 そういうことですね。だから、トランプが出てきた。トランプは民主党が分断させてきたアメリカ社会を、なんとか元に戻そうとして立ち上がったわけです。

高山 だから、トランプの発言は至極(しごく)まともに聞こえましたね。

馬渕 でも、メインストリーム・メディアは、意図的に反トランプのフェイクを報道しますからね。「トランプは人種差別主義者だ」と。高山さんもご承知のように、いわゆるアイデンティティー・ポリティクスのポイントは、民主党に頼らざるを得ない状況を保ちつづけるということ。民主党がやっていることは結局、少数派は少数派のまま、貧しい人は貧しいままに留め置いて、自分たちがそこを牛耳(ぎゅうじ)るということです。

ところが、トランプが黒人を自立させ、生活水準を上げた。まだ統計は出ていませんが、今回の選挙でトランプを支持した黒人は4年前よりも遥かに多かったはずです。

高山 そういう背景が今回の大統領選の大規模な不正につながっているということですね。

馬渕 不正をしなければ民主党候補は勝つ見込みがなかった。

高山 本当はそういうことを日本のメディアが書いてもいいし、書くべきですね。

馬渕　民主党は4年前、ヒラリー・クリントンが勝てると思っていた。ところが、実際に蓋を開けたら、トランプに負けてしまった。それに学んで、今回は最初から不正をやるつもりだったんでしょう。

高山　ヒラリー・クリントンの復讐戦ですね。

馬渕　そう、復讐戦です。それはどういう意味か。4年前にヒラリー・クリントンが負けましたが、それを民主党はずっと認めていないんです。それですぐロシア・ゲートを仕掛け、ウクライナ・ゲートを仕掛けたりして、トランプにありとあらゆる誹謗を続けてきた。

高山　トランプ弾劾はあっさり否決されたし、ロシア・ゲートの調査結果はシロだった。次にウクライナ疑惑を持ち出したけれど、これもアウトになった。

馬渕　あのロバート・モラー元特別検察官が何とかトランプを訴追しようと一生懸命やってもだめだった。あのときの捜査官を調べてみたら、みんな民主党系、親ヒラリー、反トランプです。ということはディープ・ステートの官僚群だったのです。ヒラリーのもとにいる連中が復讐戦をやって失敗したということです。

終わった男

高山　とにかく4年間、トランプをおとしめる時間があった。しかし、トランプに対抗できるタマはいなかった。一方、トランプの4年間はアメリカを大きくし、経済も上向いた。だから民主党は当初、大統領選を投げてかかった。ジョー・バイデンは終わった男ですから、最初から負けて当然の捨て駒で、次の次を狙っていた。

バイデンは１９８７年、民主党の大統領選予備選挙への出馬を表明した。ロナルド・レーガンの後だから、ブッシュ親父（ジョージ・H・W・ブッシュ／第41代大統領）のときで、当時バイデンはまだ45歳だった。ジョン・F・ケネディ（第35代大統領）が大統領に就任したのは43歳ですから、それに次ぐ若い民主党の大統領になるはずだった。ところが党集会でニール・キノックの演説をそっくりそのまま使った。

馬渕　当時のイギリスの労働党党首ニール・キノックですね。

高山　そうです。さらにシラキュース大学のロースクール在学中の提出論文も丸々五分の一が剽窃なのがバレて、候補から降ろされた。そういうクズ男なんです。今回の放棄試合候補はバーニー・サンダース（バーモント州選出の上院議員）とバイデンだった。でも、バーニー・サンダースが出ていたら本当に社会主義国家になってしまうから次善のバイデンになった。

馬渕　おっしゃる通りです。サンダースは普通に予備選挙をやったら民主党候補にはなれたかもしれない。しかし、それだとトランプの地滑り的勝利は目に見えている。

そこで、おっしゃる通りバイデンという、終わった男を持ってきた。中道だからそれなりに民主党の支持者もいるからごまかせる、「バイデンならいいか」と。それに、〝anybody but Trump〟で、アメリカ人の中にはトランプ以外は誰でもいいという層もいますからね。だから、表看板はバイデンにして戦って、カマラ・ハリスにすぐつなぐ。彼ならいくらでも辞めさせる理由をつけられます。

高山　確かに。トランプは下品すぎると毛嫌いするエスタブリッシュメントも多い。外交評論家の宮家邦彦も投票権もないのに日本から誹り倒している。そういうレベルの話じゃないと思うけれど。

馬渕　トランプはアウトサイダーなキャラクターとはいえ、本当に負けている選挙ならば、人間としてここまではやれないですよ。しかし、絶対に負けていないという確信があった。実際問題として、我々があの選挙活動を見ていてもそうですよね。

言葉は荒いかもしれないし、外交用語は使わないかもしれない。けれど、逆に考えれば、理詰めで外交用語を使うような人ならば、アメリカ人をここまで熱狂させられない。それに、反トランプ勢力から完全につぶされる。「いや、トランプは実はばかなんですよ」となれば、なかなかやれない。要はうつけのふりをしているんです。それもトランプの周到な戦略というか、やり方だったと私は思っています。

沼の水を抜け

馬渕　私は〝ディープ・ステート（deep state）〟という呼称を使っていますが、これはもう完全にトランプと反トランプ、つまりディープ・ステートの全面戦争で、トランプの戦いの相手はバイデンではなかった。

私が10年前に言ったときは、「それは陰謀論だ」とみんな笑っていましたが、いまは彼らがこれだけの陰謀を働いたということが白日の下にさらされつつあります。

高山　ディープ・ステートは、もう確立した言葉になっていますしね。

馬渕　トランプが使ったことで、そうなりましたね。

高山　彼は「Drain The Swamp（沼の水を抜け）」、腐敗を全部きれいにしてやるんだと言って当選した。馬渕さんが言われるように、米国のドル発行権は大昔からロスチャイルドとか民間の、それも外国の銀行が握るという異常な形が続いてきた。それに連なって、国政も大統領をも左右する組織（ディープ・ステート）が実は厳然と存続してきたというわけですね。

馬渕　当時、トランプが「ワシントンの政治のプロから国民に政治を取り戻す」と言いましたが、それはアメリカの建国精神を取り戻すということ。だからこそトランプはこれだけメディアにめった打ちにされながらも頑張ったわけです。

今回も単にアメリカの大統領選挙の問題だと思っていれば、ただ一過性のことで終わってしまいますが、実はそうではない。トランプは国家ぐるみの犯罪と戦っていたということです。単にトランプVSディープ・ステートではなく、トランプVS中国共産党、ディープ・ステートVS中国共産党の三つ巴（どもえ）の戦いなのです。

そして今回の大統領選挙に限ってはディープ・ステートと中国共産党が手を組んだ。そしてこれはアメリカ国民の戦いでもあるわけです。

メインストリーム・メディアの報道は当初からバイデンが勝ったということで、既成事実のように報道していましたよね。

高山　そんなクズ候補だったのにまさかのコロナ禍が見舞った。バイデンの後で息を潜めていた組織が混乱に乗じて動き出して、あらゆる不正をやって終わった男を大統領にし、トランプを追い落とした。「さあ早く敗北宣言を出せ」と。そのあとは、お飾りのバイデンが次期大統領であることを公然の事実のように扱いはじめた。

馬渕　大統領を決めるのはメディアではないというのに。NHKの報道で失笑したのは、ブラジルの選挙でトランプさんが出た、と。しかもブラジルの地方選挙ですよ。その選挙はどんな名前で出てもいいということらしい。その中に4人のトランプがいて、4人とも負けたそうです。その後のオチが「この4人は敗北宣言した」と。

NHKがそんなばかげたことをニュースでやるんです。ブラジルの地方選挙なんて何も関係ない。トランプに早く「敗北宣言をせよ」と言わんばかりでした。

高山　日本の報道機関なら、局外中立なのだから、せめても「民主党はアル・ゴアの例があるじゃないか」と言うべきですよね。

2000年のアメリカ合衆国大統領選挙のとき、ジョージ・W・ブッシュ（第43代大統領）に僅差で負けたゴアは、フロリダの票を二度も数え直させた。それでも彼が不満だというので、最高裁までもつれ込んだ。かつて民主党はそれをやったのだから、今度はトランプにも同じことをやらせてやりなさいって。

馬渕　少なくとも、そうですよね。メインストリーム・メディアは「トランプが敗北を認めないのはけしからん」と。それに追随する日本のメディア。実に一方的な発信です。

高山　米国の良き友人としての日本が何かを言うとしたら、せめて菅義偉首相が「あなた方は民主国家というのなら、アル・ゴアに認めた分ぐらい認めてやりなさいよ。それが思いやりというものじゃないですか」と言うべきです。

安倍晋三とトランプの親密さをいままで謳ってきて、どの新聞も認めていたのだから。日本の政治家としても、日本の報道機関としても、アメリカのメインストリーム・メディアのまる写しじゃなくて、それぐらい主張するのが形だと思いますね。

馬渕　けれども、菅首相は急いで祝意を表明してしまった。11月8日に自身のTwitterアカウントから「ジョー・バイデン氏及びカマラ・ハリス氏に心よりお祝い申し上げます。日米同盟をさらに強固なものとするために、また、インド太平洋地域と世界の平和、自由、繁栄を確保するために、ともに取り組んでいくことを楽しみにしています」と発信した。

それだけでなく11月12日には電話会談までしています。トランプが不正をひっくり返して再選していたら、これが大失態になって、場合によっては辞職まで追い込まれたかもしれません。

厳密に言えば、バイデンとの先走った電話会談はアメリカのローガン法違反なんです。ローガン法というのはほとんど適用されたケースがないけれども。そこで「尖閣諸島が対日防衛義務を定めた日米安全保障条約第5条の適用範囲内だ」と明言したなどと喜んでいますけれど、これはとんでもないことです。

あの時点でまだバイデンの勝利は確定しておらず、彼は民間人なんです。ローガン法によれば、民間人が外交政策に関して、政府と別に交渉してはいけないんです。でも、それをやってしまった。それに菅首相も意識せずに乗ったということです。

10分間ということは通訳が入るから5分です。となると、菅さんは2、3分しか話していません。そんなことを本当にバイデンが言ったのかどうか。

メディアは何の責任も取らなくていいから、無責任な既成事実化を量産します。ただ、日本の内閣総理大臣がそういうことをやってしまった。

高山 新聞報道によると、文在寅のほうが電話会談が何分か長かったというんですよ(笑)。そんな低レベルな話じゃないだろうと思うんだけれどね。文在寅あたりと競り合って電話会談するということ自体が、もう恥ずかしい。

馬渕 だいたい、その時点でプーチンや習近平はやっていませんしね。中国は11月13日になってやっと、しかも報道官レベルでの発信です。報道官レベルでちょっと祝意を表しただけ。先走りしたのは日本とヨーロッパの数カ国だけですよ。

非合法な政権奪取

馬渕　あれだけ大勝していたトランプを引きずり下ろすということが起こった。これは、もう完全にアメリカの民主主義は終わったということです。だから、バイデンになって協調路線に戻るとか、そんなことはあり得ない。不正をやってでも大統領になれるということがわかったということは、アメリカという国家に対する世界の信用がなくなったと言えます。

言わば非合法なクーデター政権ですから、国際法的には各国がアメリカ政府を承認するかどうかという問題が出てきます。アメリカだから実際には問題にならないかもしれませんが、開発途上国をはじめ、ほかの国の場合はほとんどが問題になりました。

私が現役の外交官だったときの話ですが、小国がクーデターで政権交代すると、〝その国の大使館員と接触してはいけない〟と訓令が来ました。それは、クーデター政権を承認する行為になってしまうからです。いま本来ならば、東京のアメリカ大使館と政府の人間は接触してはいけないんです（笑）。厳密に言えばね。

それほど大きな出来事で、そのような不正が押し切られた。そこまでしてトランプを引きずり下ろさなければならなかった。これは事実上、政治的な暗殺です。そこまでやらなければならないほど、ディープ・ステートが追い詰められていたということです。

高山　トランプは任期の4年間、戦争をやらなかったですしね。初めて彼らの意のままに動かなかった大統領だったということか。

馬渕　クーデター政権というのは、つまり、ロシア革命でボルシェビキが政権を握ったのと同じです。臨時政府の首班にアレクサンドル・ケレンスキーを据えて、そのあとケレンスキーをクーデターで倒して政権を握る。ロシア革命の最大の問題点は非合法な政権奪取だということですから。

選挙で大敗していた陣営が、まさに不正というクーデターによって大勝したトランプを引きずり下ろしたというのが事の本質です。今回この不正選挙で中心的な役割を果たした人たち、共和党の一部も重鎮の方も含めて、民主党左派はもちろんですが、民主党の知事、州議会の議員というのは言わばロシア革命における革命家――つまり非合法な革命、暴力革命をやった人たちに相当すると言っても過言ではない。

ロシア革命はボルシェビキというレーニン率いる極左政党が暴力によって政権を奪取し、

アメリカのウォール街やイギリスのシティなどの金融資本家がそれを支援した。これを今の大統領選挙に当てはめてみると、よくわかります。

単にバイデン候補を勝たせるために不正を働いたという問題ではなく、アメリカを非合法に乗っ取るということ。4年前にトランプ大統領が出現して以来、ディープ・ステートの基盤が揺らぎつつあったということです。

つまりオバマの時代までは実質的にアメリカをコントロールしていた層にとっては、もうこれ以上トランプを大統領のまま置いておくわけにはいかなかった。だから、どのような手段を使ってでもトランプを引きずり下ろす必要があった。

トランプのアメリカ・ファーストで最後に残ったターゲットがFRB（連邦準備制度理事会）。トランプが2期目になったらFRBは潰される、これは既定路線だったと思います。だからこそ、今回は絶対に再選させてはならなかった。トランプはFRBがアメリカ国民のためにならないと、アメリカ・ファーストではないと言っている。FRBを潰せば連邦所得税が必要なくなるんです。連邦所得税が廃止されればアメリカ国民は豊かになると。その青写真が見えていたと思います。

なぜそこまでしなければならないのか？

このことが理解できないと、単にトランプ嫌いの人がなんかいろいろゴソゴソと不正をやったというようなマイナーな話で終わってしまう危険があります。トランプに2期目の4年を務められたら、彼らの最大の利権である通貨発行権を喪失するという追い詰められた危機感。その危機感が今回の大統領選挙に現れた。

高山 あの票の開き方は異常だった。選挙監視員が機能している間は順調にトランプの票が伸びた。これなら勝ちだと思って寝て、朝起きたらまさかのバイデンだった。一夜にして逆転。あの〝バイデン・ジャンプ〟は誰の目にも異常に映ったはずです。

馬渕 起こり得ないことが起きた。ディープ・ステートはこれだけの選挙不正をやる力があるんです。

高山 郵便投票がオーケーだったのは一部だけだったのに、それが今度は全州に渡ってしまった。

馬渕 郵便投票の場合も、いわゆる激戦州は11月3日以降のものも認めていた。そこが重要です。簡単に言えば、10万票負けているからといって、その後でポンと12万票を上乗せしたわけです。だから誰でも勝てる。誰でもというか、バイデンが勝てる構造になっていたんですよね。

高山　コロナ禍っていうのは、そのとき想定していたんでしょうかね？　誰を出してもトランプの地滑り的勝利は目に見えていたから、諦めきっていたところもあったんじゃないだろうか。そこにコロナ禍が一筋の光明として射したと。

馬渕　そうかもしれません。だから郵便投票を加えた。それまではドミニオン社の集計ソフトの操作だけでやろうとしていたんだと思います。

高山　考えようによっては、もう少しましな候補を出す手もありますよね？　確実にくつがえせる手段があるのだから。

馬渕　まともな政治家はこんな不正をしたら乗ってこないからだと思います。つまりアンドリュー・クオモなんかを候補にしたら、クオモ自身も降りる可能性がある。だからバイデンのように終わった男しか擁立できなかった。バイデンやカマラ・ハリスだからできたのではないかと。

高山　今回、バイデンが8000万票、トランプは7400万票とっています。いままで歴代最高は、初当選時のオバマで6297万票。アメリカの大統領選挙の投票率は、だいたい60％前後でしょう。オバマが初当選した2008年は61・6％、トランプが初当選した2016年は60・1％（アメリカ合衆国国勢調査局の発表よれば、2016年の大統領選挙の有権者登録は1億5760万人)。

馬渕　これは不正側の発表した数字ですから、私はトランプへの投票は8000万票近くいっていたのではないかと予想します。投票率が70%いったとしても、その残りは5000万票ぐらいですよ。バイデンの実数はそれくらいじゃないかと思いますけどね。

高山　両方足すと約1億6000万票。みんな不思議に思わないのかしら。

馬渕　あり得ないですよ。

高山　彼ら民主党議員は足し算もできないのかね(笑)。

馬渕　これだけ明白な不自然さにもかかわらず、メディアや買収した議員などを使ってそれを押し切ってしまった。アメリカはもはや情報統制国家というか、独裁国家になってしまっている。

とはいえ今回、内部告発者が出たことにも注目しなければいけません。本来、内部告発は民主党が得意で、濡れ衣でトランプをさんざんいじめてきたわけですが……。

今回は単なる内部告発ではなく、宣誓供述書付きでの内部告発だった。ということは、もしそういうフェイクの内部告発をやれば偽証罪に問われます。だから、やっている人は愛国者だと思います。郵便局員からの告発もあったそうです。

郵便投票では不正が起こると、トランプは最初からわかっていたんです。「不正は起こる、この決着は法廷闘争になる」と、早い段階で彼はそう言っていました。不正の内容については、ホワイトハウス通商製造業政策局長であり大統領補佐官のピーター・ナバロ氏が、不正にまつわるレポートを12月17日に公文書として公表しています。

高山　ドミニオンにＦＢＩ（連邦捜査局）が捜索に入ったという情報もありますね。

馬渕　機器を押収したという情報もありますが、ただＦＢＩも反トランプ陣営の影響下にある。４年前にヒラリー・クリントンを訴追しなかったことからも明白です。

高山　トランプは就任してからずっと国務省、国防省に行っていないってことも推して知るべしですよね。

馬渕　国防長官が次々と代わったのは、そういうことですよね。

高山　「信用できない」とトランプは言っていましたからね。ミネアポリスで暴動が起こったときに、軍隊を出すか出さないかで揉めて、国防長官のマーク・エスパーも切った。

馬渕　民主党の州知事が鎮圧のために州兵を出さない。そうなると、連邦軍を出して抑えなければいけない。エスパーはそれに反対したからです。

大統領としてのトランプのミッションはまさに〝Drain The Swamp〟なんですが、これは任期の4年間だけではとても実現できなかった。

高山　もっとできているかと思ったら、できていなかったんですね。あれだけクビにして、かなり倒していたのかと思っていたら。

馬渕　国家安全保障局長まで解任しましたが、そういう勢力がトランプをがんじがらめにしていた。ＦＢＩもそうだったし、ＣＩＡ（中央情報局）もそうだった。トランプは「ディープ・ステートは官僚群だ」と言っていましたが、さすがにそんなにすぐには入れ替えられないんです。しかも局長以上の高官は上院の承認が必要ですから、総入れ替えはなかなかできない。今回トランプに内部から反抗していた連中は、オバマの時代に任命された人間が多いですね。

醜悪な物にする装置

高山　1月6日の議事堂での暴動は、12月19日にTwitterでトランプがデモを呼びかけた時点で準備をしたのだろうか？　まだ共和党集会の参加者が現地に行く前から議事堂の警備がフリーパスみたいな感じで、どこからか湧き出してきた連中の〝乱入〟を黙認してしまいましたよね。

馬渕　ウェブ上に映像が上がっていますが、警備員がゲートを開けて、トランプ支持者を装ったアンティファを招き入れてしまった。

高山　あらかじめ仕組まれていたんでしょうね。トランプ支持者が遅れて行ったら、お膳立て通りに、まさに真珠湾攻撃と同じようにセットアップしてあったということ。それで、トランプが最後の期待をかけていたテッド・クルーズらの異議申し立てが上下両院合同会議でできなくなった。トランプ側の悲願はこのキャピトルヒル乱入で打ち砕かれてしまった。それくらいのことは集会に集まっていた人たちは百も承知していた。彼らがやるハズのない暴挙を、では誰がやったのか。そんな汚い手を使ってでも大統領選の怪しげな事実を曝さ[さら]れたくないと誰かたちは思っていたということでしょう。

馬渕　それほど彼らは追い込まれていたんでしょう。そして、アメリカのメインストリーム・メディアも日本のメディアも一斉に「トランプが反乱を先導して支持勢力に連邦議会議事堂を襲撃占拠させた」と。

高山　産経新聞ワシントン駐在客員特派員の古森義久が『月刊Hanada』（2021年3月号）の〝日米メディアが死んだ日〟という記事で、今回の議事堂乱入者の中に反トランプ組織の『内乱USA』の幹部のジョン・サリバンという男がいて、FBIに逮捕されたと書いている。そんな情報は日本のメディアしか見ていない我々には入ってこない。古森は〝バイデン支持の民主党陣営の一方的な主張だけが事実や現実として日本国民の多くに伝えられている〟と指摘している。

馬渕　日本のメディアはほとんどが反トランプですよね。1月6日を境にますますひどくなった。

高山　民主党の影響化にあるアメリカのメインストリーム・メディアは、まあそうでしょう。でも、第三者であるはずの日本のメディアがそれに乗じて、まるでCNNの記者かのように、それ以上の過激な言葉を使っているのはいかがなものかと思う。

2016年にトランプが当選したときに、産経新聞は編集局長の乾正人が1面で〝トランプ大統領で、いいじゃないか〟という記事を書いた。〝トランプ流の「在日米軍の駐留経費を全部出せ」といったむき出しの本音には、日本も本音で向き合えばいいのである〟とね。その後、論説委員室に遊びに行って「記事面白かったじゃないか、あれは！」って言ったら、その記事を見て湯浅博がカンカンに怒っていた（笑）。産経新聞のいいところは、両方の意見が堂々と載るところにある。

だから今回の1月15日付の産経新聞にはびっくりした。ワシントン支局長の黒瀬悦成という記者が〝傷ついた米民主主義〟というタイトルの署名記事を書いていた。私は産経OBだけれど、この人は知らない。ほかの新聞社から来たんだと思うんですが。

トランプが2度目の弾劾訴追を受けることになった理由を〝自身の敗北を認めず、支持勢力をあおって連邦議会議事堂の占拠事件を引き起こし、米民主主義制度への信頼を大きく損ねたためにほかならない〟と。まるで断定しているわけです。

2020年6月に民主党系のデモ隊がシアトルのキャピトルヒルを1カ月近く占拠して好き放題やった。殺人事件も起きた。その間、そのことを黒瀬記者は一切書いていない。なぜ、産経新聞が民主党に荷担してトランプ叩きをやるのか、その意味がわからない。

よその新聞はひどい偏り方だからしょうがない。産経新聞がここまで傾く必要ないだろ、産経新聞が角度付けてどうするんだ、と。民主党についてもきちんと報道しているならいざ知らず、そっちは書かない。朝日新聞みたいに書かない自由を選択するなら、新聞の自殺だと思う。

馬渕　高山さんの憂いはよくわかります。

高山　1月20日の就任式はCNNの生中継で観ていたんですが、あれは印象で言うとお葬式でしたね。だからレディー・ガガがちょっと浮いていた。バイデンの調子も低かったし、お葬式と泣き女みたいな感じ。内乱を起こす暴徒が襲ってくる想定を勝手につくって、ワシントンDCを厳戒態勢にして。でも暴徒のボの字もなかった。ないものをあるかのように装う、ひと言で言うと演出が臭すぎる。

馬渕　NHKのBSで新大統領の就任式を流しましたから一応観ておりました。印象はすべてが白々しかったというか。ABCのアナウンサーですら若干白け気味でしたね。最初のほうで、若いNHKのアナウンサーの方が「バイデン氏の大統領就任の正当性に疑問を抱く国民が多い中での……」って発言をしていましたが、スタジオの大学教授の方は、そういったことにはまったく言及されませんでしたね。

高山　1月22日付の産経新聞の記事がまたひどい。読みました？

馬渕　バイデンの就任演説の記事ですか？　高山さんには悪いけれど、最近、産経新聞は反トランプの偏向ぶりが酷くて読めないです（笑）。

高山　そうですか（苦笑）。誰が書くのかなと思っていたんですけど……。さきほどの黒瀬悦成という記者が一面に〝民主主義の道しるべたれ〟というタイトルで書いているんです。彼はバイデンの演説の最後のほうの「米国は世界の灯標として再び立ち上がる」という言葉が、レーガンの退任演説の一節を意識していたに違いないと言っている。

あたかもバイデンを正当化するための趣旨なんだけれど、「米国とは丘の上の輝ける町だ。その灯標は各地にいる自由を愛する人々の道しるべとなる」というレーガンのフレーズは、17世紀にニューイングランドに入植したジョン・ウィンスロップの〝City upon a Hill（丘の上の町）〟からの引用。そしてその大元は新約聖書マタイ伝の一節。そもそもレーガンの言葉じゃない。

ジョン・ウィンスロップが、ニューイングランドのインディアンを駆逐し終わったときに、我々は世界をリードする模範的な国になると運命づけられてるんだと言った。それを「We shall be as a city upon a hill, the eyes of all people are upon us」と比喩したわけです。すべての人が仰ぎ見る丘の上の町ってね。アメリカの白人以外は奴隷にしようが殺そうが一切問題ない、それは神に命ぜられてやっていることだと。例外主義、思い上がりなわけですよ。

そして、〝「選挙に不正があった」とするトランプ大統領の嘘に扇動され〟と書いている。批判はいい。でも他国の大統領に対して〝嘘つき〟ってのはない。たとえば、習近平なんかしょっちゅう嘘ついているけれど、北京特派員が〝嘘つき習近平〟とは書かない。それを平然と書いた。もはや、新聞記者としての矜持も礼儀もない。

確かにCNNなんかは、意図的に〝トランプは嘘つき〟みたいなことを言っているけれど、日本の特派員が他国の偏向メディアに同調しているということに驚きを隠せない。〝扇動され〟でもどうかと思うのに、〝嘘に扇動され〟なんて、新聞記者が言ってはいけない。

馬渕　本当におっしゃる通りです。トランプは1月6日の集会の演説で「平和的かつ愛国的にそれぞれの意見を届けるため、議事堂に向かって行進」と言っている。あくまで平和的に。これは暴力的なデモではないんです。真実はまったくの真逆です。

そして、議事堂に支持者を装った反対勢力が押し入ることを事前に察知していたんでしょう。当初の予定よりずっと長く、1時間近く演説したんです。しかも、平和的にデモに参加した支持者が議事堂に辿り着く時間を遅らせ、巻き込まれないように最善を尽くしたんですよ。

高山　この記事を見たとき、産経新聞はおかしくなったな、と。古森義久が書いて、黒瀬悦成が書くんだったら産経新聞はまだ読めるけれど、最近、古森が書かなくなった。以前は正反対の意見でも、そういう意味でのウオッチがないから実に自由で、1面で〝アメリカ万歳！〟、2面で〝アメリカの狡猾さ〟みたいなものが共存していたんです。同じ22日付の朝日新聞が〝分断の全てがトランプの産物でもない〟ってはっきり書いている。反トランプの朝日新聞ですら民主党側にも問題があるんだということを示唆しているのに。

馬渕　この1月6日の事件からガラリと変わりましたね。今回の事態はまさに、メディアや評論家、言論人への踏み絵です。「トランプは実は勝っていた」なんて言ったら、日本の特派員たちがワシントンにいられなくなるわけです。

高山　そこまでチェックするかな（笑）。

馬渕　していると思います。それは単にメディアだけではなくて、共和党の議員に対する踏み絵でもあった。多くの共和党議員がトランプを裏切ってしまった。アメリカの公の仕事についている人たちも踏み絵を踏まされた。ＹｏｕＴｕｂｅやＴｗｉｔｔｅｒにもチェックが入っていましたしね。真実を発言できなかった。

高山　今回はメインストリーム・メディアに加えて、ＧＡＦＡ（Google・Amazon・Facebook・Apple）がそれに乗っかって、要するにＳＮＳまで蹂躙してしまった。ここまで露骨にやって７４００万人のトランプ支持者は完全に口をふさがれたわけだ。これって、民主党の中で目覚めるヤツはいなかったのだろうか、「これはひどい！」と。

新しい戦い

馬渕　何日か前に、ネットで目にしたんですが、アマゾンがアラバマ州にある自社倉庫の労働組合の郵便投票に反対しているそうです（CNN BUSINESS January 22, 2021）。理由は「有効かつ公正な投票を実施するためには直接本人が投票する必要がある。郵便投票は不完全であり、何十、何百人もの組合員の権利を奪う可能性がある」ということです。彼らも、実はわかっているんですね。笑えない話です。

高山　いやー、笑える。これ以上笑える話はないですよ。

馬渕　連中はわかっているんですよ、本当は（笑）。民主党も共和党もメディアもＧＡＦＡも。

高山　つまり、記者や評論家はアメリカ様にロイヤリティを売り込んでいるわけだ。しかも、視聴者や読者にその姿をさらしてしまっている。

馬渕　我々が保守だと思っていた人が「民主主義的に決まったのだから、バイデン大統領を認めなくてはいけない」とか、「カマラ・ハリスはインド系だから、これからはインドが重要だ」とかね、めちゃくちゃですよ（笑）。インドは前から重要ですけれどね、カマラ・ハリスなんて関係なく。

高山　すごく浅薄な知識というか、説得力がないんですよね。

馬渕　わかっていて嘘をついている。そんな自分を保つためには、バイデンを持ち上げ、トランプとトランプ支持者を誹謗中傷し続けるしかないんです。これはアメリカも同じです。アメリカのメディアが、ＣＮＮがどうしてあんなにもトランプを誹謗中傷どころか、もっとひどい言葉で叩くのか。彼らはそうせざるを得ないんです。

高山　退任したトランプを今さら弾劾するとかね。

馬渕　トランプの逆襲を恐れているんでしょうね。

高山　何せ７４００万票の有権者がついている。トランプがもしかしたら次の大統領選に出てくるかもしれない、それを封じるために「弾劾してしまえ」みたいなね。あれは、日本の朝日新聞にならっているのかなという印象すらあった。まさに、〝安倍潰し〟の再現というか。彼が首相を辞任した後も、いまだに〝桜を見る会〟をやり続けて最後のトドメを刺したい、再浮上させないっていう。朝日新聞や立憲民主党の低レベルな意識と一緒ですね。

馬渕　そう、同じことがトランプ前大統領にも起こっているんですよね。

高山　ナンシー・ペロシ（アメリカ合衆国下院議長・民主党）が弾劾にやっきになってましたね（笑）。最初は合衆国憲法修正25条でしたっけ？

馬渕　ペロシがペンス副大統領に修正25条で罷免しろと。修正25条第4節の「自発的ではない引退」は、不適格と考えられる大統領を除外する最終手段。トランプから大統領の権限と義務を剝奪し、大統領代理としてペンスが立つというもの。まず、ペンスがそれに賛成し、さらに閣僚の過半数から、トランプが不適格で同氏から一時的に権力を奪うことへの賛同を得る必要もある。さすがにそれはペンスが受け入れなかった。それで本会議で弾劾決議案を提出する方向で進めたんですけれどね。

高山　しかも、スケジュール的に弾劾への手順が動き始めるのは、すでにトランプが一般人になってからですからね（笑）。

馬渕　おちおち眠れないんでしょうね。完全に息の根を止めないと。

高山　しばらく揉めますよね、このあとも。

馬渕　私は10年戦争とかハルマゲドンって表現しています。

高山　最終戦争か、恐ろしい。しかし、奥にいる集合体というか、もやもやっとしたモノがなんとなく見えてきたっていうのがいまの状況ですよね。現実にトランプを支持した74

00万という人々がいる。それは動くのだろうか、アメリカを動かせるのか。

馬渕　そういう意味では、まだ戦いは終わっていないと思います。トランプは退任演説で「新しい戦いはスタートしたばかりだ」と言っている。それに7400万——実際はもっと多い、先ほど言ったように私の勝手な想像では8000万人近い方がいるはずです——そういう人たちが黙っているはずがない。アメリカがアメリカでなくなるわけですから。それは絶対黙っていない。

なぜトランプが戒厳令を発令しなかったかと言われていますよね。それはアメリカを完全に二分するというか、相当の犠牲を強いる。それよりも彼は人々の覚醒を促すほうを選んだ。日本流に言えば、負けて勝つ。

言い方を換えればアメリカ人がアメリカというシステムに不審をもったということ。極論すれば、テキサスかフロリダかでトランプが名乗りを上げて、軍さえつけば、逆の意味でのクーデターが成立しますよね。そこまではやらないと思いますが。トランプはあくまで合法的な手段でやる、彼の信条はそういうことです。彼のメッセージをどう受け止めてピープルがどう動くかということで、私はまだ決着はついていないと思うんです。

高山　アメリカで初めてのクーデター、クーデター返しが起こる可能性はありますかね？

馬渕　信憑性はともかく、軍がいまだにバイデンに忠誠を誓っていないという話も流れてきますからね。

高山　とはいえ、バイデンは78歳の老人。まともな判断ができないから、今後アメリカは混迷しますよね。

副大統領のときに中国に息子を連れて行って、息子のために中国銀行から15億ドルの融資をさせ、ウクライナでは息子を石油会社の重役に押し込んで、それを怪しんだウクライナの検事総長をクビにさせた。そんな不謹慎な過去があって、今はメディアを味方にしているからいいけれど、いつ火を吹くか。中国が火を吹かせるかもしれないし、ウクライナやロシアもその問題を持ち出すかもしれない。いずれにせよ、こんなきわどい大統領っていないですよ。ハリス副大統領が突然、アメリカの指揮権をとるかもしれない。

馬渕　もしかすると民主党のほうからバイデンを弾劾するかもしれないですしね。

高山　ディープ・ステートの筋書きはどうなんでしょうね？

馬渕　完全な独裁政権というか、監視社会をつくること。監視管理社会を描いたジョージ・オーウェルの『1984年』の実現ではないかと。そういう方向に向かっていますよね。言論は弾圧、自分たちに都合の悪い言論はすべて認めない。それに対して事実上、誰も声を上げていない、既存メディアもGAFAも。

高山　実際、GAFAは今回も言論弾圧していましたしね。

馬渕　プーチンがどういう態度をとるかも注目すべきところです。ディープ・ステートは彼のことも潰したいわけですから。習近平はバイデンを俺の手下だぐらいに思っているはずですが、傀儡（かいらい）のバイデンをつかまえたからといってディープ・ステートを制したことにはならない。これまでとは違った意味での三つ巴になると思います。

高山　Twitterがトランプのアカウントを永久停止した件に対して、ドイツのアンゲラ・メルケル首相は問題だと言った。「言論の自由は、重要な基本的人権で、それを制限するのは法の枠組みの中であって、ソーシャルメディア事業者ではない」と。1月11日にザイベルト報道官が発表しているんですけれどね。

その後、EUのメディアがはっきり苦言を書き始めたのには注目したいところですね。1月25日付の産経新聞で、パリ支局の三井美奈特派員電でフランスのフィガロは〝GAFAによるクーデター。民主主義の擁護者を怒らせた〟と非難している。ドイツのヴェルトは〝Twitterのトランプのアカウントを永久停止しながら、一方でもっと攻撃的なイランのハメネイのイスラエルに対する暴言や中国外務省報道官のオーストラリアを侮辱する偽画像の投稿画像は放置したままなのはどういう基準だ〟と問うている。

馬渕　ＥＵの中でいろいろな意見が出てきたのは、これまでなかったことですね。そして、2021年に開催されるＷＥＦ（世界経済フォーラム）の年次総会（通称ダボス会議）は注視せざるを得ません。ＷＥＦは2020年10月に『グレート・リセット（The Great Reset）』という2021年の議題を発表しています。パンデミックを契機に「石油・ガスからハイテクまで、すべての産業を変革しなければならない。資本主義のグレート・リセットが必要だ」という言い分です。すでにオーストラリアのスコット・モリソン首相は「私たちにリセットは不要だ」と反対姿勢を明確にしていますけれど。

『グレート・リセット』は世界をワンワールドにしてＡＩを使った監視社会にするということ。コロナの恐怖を使って世界を牛耳るということ。それはもうすでに始まっているんです。

第二章

歴史は語り繰り返す

第二の南北戦争

馬渕　一部の識者の方も論じていますが、私も今回のアメリカ大統領選挙は事実上、第二の南北戦争だと申し上げてきました。これはアメリカの分断というより内乱なんですね。たとえばテキサス州がミシガン、ジョージア、ペンシルバニア、ウィスコンシンの4州を、最高裁に提訴するということがありましたが、その一つをもってしても、これが事実上の南北戦争になっている。

今回は北と南と明確には分かれていませんが、要するにトランプ派と反トランプ派、または自由と民主主義を求める勢力と既存の状態に甘んじようとする州との戦いとも見ることができます。

我々はリンカーンが北部の指導者で、南部はロバート・リー将軍で、奴隷解放を巡っての戦いだっていうことは学校で学ぶんですが、それは表面上のことです。南北戦争の本質は、当時の世界の覇権国イギリスが、その覇権に迫ろうとしていたアメリカ合衆国を分裂させようとして起こしたものです。

外国に指嗾（しそう）されてアメリカで内戦が起こったという歴史的な視点から見ると、今回も中国共産党の介入によってアメリカが内戦状態になっているとされていますが、形を変えた南北戦争、つまり外国の干渉によってアメリカが分断されつつあると見ることができます。

南北戦争には、イギリスとアメリカの北部と南部だけではなく、実はもう一人重要なプレイヤーがいたんです。

その重要なプレイヤーは誰かというと、ロシアです。当時のロシアのアレクサンドル2世はリンカーンを、北部を支持したわけです。彼はサンフランシスコとニューヨークにロシア艦隊を派遣したんですが、実際には軍事的な衝突に至らず北部の勝利に終わりました。今日のアメリカが分裂せずに統一を保っているのは、実はロシアのおかげ。歴史的にはそう見ることができます。

それをトランプは知っている。だから「なぜ南北戦争は起きたのか。なぜ防止できなかったのか。誰も疑問を呈さない」と言ってメディアから袋叩きにあった。

高山　ハワード・ジンが『民衆のアメリカ史』を青少年向けに再編集した『学校では教えてくれない本当のアメリカの歴史（上・下）』の中で、アメリカの原罪はインディアン征伐から始まっているとはっきりと書いていると産経新聞が記事にしました。いまは黒人奴隷から始まっていますがそうではなく、その前段階で並行してインディアン征伐もあって、それがいかにひどいことだったかと。

もう一方で、南北戦争時代の米国とロシアの関係を知っている人もいる。だから、袋叩きに遭うことになるわけです。そういった本当のことを知っている人たちは、数字的にどれぐらいのレベルでいるのか。つまり、アメリカ史をきちんと理解している人たちがいれば、ポリ・コレもどこかで止まるはずなんです。

馬渕 ハーバード、スタンフォードとかイェールもそうだけれど、大学の教授陣のすべてがそうではありませんが、枢要なところにはディープ・ステートのエージェントがおさまっている。世界向けに最も権威あるとされる日本の歴史を書いているのもアメリカのハーバードの歴史学者ですが、それはその筋の人です。だから、日本は南京大虐殺をやったとか朝鮮人慰安婦を強制連行したとか、そういうことをアメリカのハーバード大学が書くんです。

高山 それでジョン・ダワー（アメリカ合衆国の歴史学者）にピューリッツァー賞をやったり、バンクロフト賞をやったりする（『Embracing Defeat』（邦題『敗北を抱きしめて（上・下）』）。

馬渕 アメリカでもチャールズ・ビアードという歴史学者が、ルーズベルト大統領の犯罪を暴いています。その結果、彼は歴史学会の会長をクビになりました。もうそのころからアカデミーはディープ・ステートに握られている。彼らの気に食わない歴史解釈をする者は、みんな歴史修正主義だ、と。だから、安倍さんも内閣総理大臣のときアメリカのメインストリーム・メディアを中心に「歴史修正主義者」と叩かれたんです。

いまはそれに抵抗する人たちがアメリカでも少し出てきているし、日本だとたとえばカナダにいる渡辺惣樹さんが頑張っておられますよね。しかし、学界からは完全につまはじきにされています。つまり、学界からは出てこられない仕組みになっている。

高山 その象徴がいまの日本学術会議問題ですよね。

ワーテルロー

高山　今回の選挙は民主党の州知事のところでおかしなことが起きていた。そこで訴訟をしても、トランプ側はほとんど門前払いで追い返されていますよね。

馬渕　検事と裁判官と弁護士が仲間だったら、どうなるか。それは高山さんが三菱自動車の件で経験されていますよね。自分たちで罪をつくっておいて、弁護士も自分たちの弁護士が出て、みんなで儲ける。

高山　政府機関の名前を借りてね。あれはひどかった。

馬渕　そういうことがアメリカの司法で行われている。

高山　とにかく日本の企業は全部やられている。政府機関が罠をかけ、司法省が訴え、新聞がそろって日本企業を非難し、議会が不買運動をほのめかせていたぶる。みんないいカモにされました。

馬渕　よく言われましたが、日本企業がアメリカに進出すると、最初の洗礼は訴訟なんですよね。必ず訴訟を起こされる。

高山　一番典型的なのは東芝のパソコン。あれは欠陥ではないんです。NECはフロッピーディスクコントローラーに頻度の高い仕事をやらせすぎると異常を起こす可能性があるので、それを除去した新しいシステムに改良した。対して、東芝はそれをやらなかった。

それに弁護士が目をつけた。東芝は改良していない。改良していなければ、故障が起こりうる欠陥品を承知で売り出したと因縁をつけてきた。弁護士は外国企業は絶対に勝てないというテキサス州の裁判所に持ち込んで陪審員裁判にした。これはもう勝てないと東芝は諦めて11億ドルを支払った。あのときは、びっくりしましたね。なぜ相手の主張を受け入れたのか、最初は意味がわからなかった。

馬渕　アメリカでは実際に損害が起こったときに損害額を請求するだけではない。将来起こるかもしれない損害についても訴える。それに懲罰的なものもある。だから、天文学的な賠償額になる。まさに青天井です。

高山　ピュニティブ・ダメージ（punitive damage）。懲罰的損害賠償というのは好き放題ですから。「この行いには悪意があった」とかね。

馬渕　司法とメディア、そして金融を握っていたら、なんでもできる。

高山　一番初めの原型は、私はワーテルローだと思う。

馬渕　1815年ですね。

高山　あれはロスチャイルドとロイターです。メディアがロイターで、ロスチャイルドが金融です。ロイターがベルギーのワーテルローを見て、早馬と早船で1日早くイギリスに戻って、「欧州連合が負けた。ナポレオンが勝った」とフェイクを流した、それで欧州の相場がばーっと落ちたところで、ロスチャイルドが全部買いあさった。その翌日、ナポレオンの負けが伝わり、欧州株は急騰した。悪知恵が勝った。

つまり、メディアと金融が必ず後ろに控えている。ディープ・ステートと言うとすごく重々しいけれど、要はインチキでもなんでも早く情報を取って金儲けをしようという発想。中国で言うところの発財主義。財産をかき集めるためにどんな嘘でもつく。それがディープ・ステートの生い立ちだと思うのですが。

馬渕　そういうことですね。アメリカでは、ウッドロウ・ウィルソン（第28代大統領／任期1913〜21）のケースがまさに典型的です。

ウィルソンは彼らに大統領にしてもらったんです。今回のバイデンと同様に、ウィルソンも勝てる見込みがなかった。相手は共和党で現職のウィリアム・タフト（第27代大統領）

です。

勝算がないからどうしたか。ディープ・ステートは共和党を分裂させた。セオドア・ルーズベルト（第26代大統領）が進歩党から出て、三つ巴の争いになった。結果として民主党のウィルソンが漁夫の利を得て当選。タフトとルーズベルトの票を足したら、ウィルソンより断然多かった。ウィルソンは本当に少数しか票をとれなかった。大統領にしてもらったので完全に傀儡だった。

そして彼は奴隷擁護主義者でもあった。連邦政府から黒人を全部追い出した男です。

高山 そうです。自分がプリンストンの学長になったとき、黒人の入学は一切認めず、自分が大統領になったらワシントンDCのオフィスにいる黒人を全員外に出してしまった。徹底した白人至上主義者です。パリ講和会議の国際連盟委員会で日本が主張した人種的差別撤廃提案で、日本は11対5で多数をとったんですけれどね。その評決の方法に文句をつけて、満場一致でなければダメと言って退けたのが彼です。

ケネディ暗殺

馬渕　今回のような大規模な不正は、やはり国家機関を巻き込まないとできないことです。中国共産党がいかにアメリカに影響力を持っていたとしても、マネートラップやハニートラップだけでは不可能です。ＣＩＡやＦＢＩを抱き込む、検察当局や司法を巻き込む。司法の中にはもちろん裁判所も入ってるわけです。

今回、連邦最高裁判所も含めて、動きが鈍いことはお気づきになっていると思います。国家の中枢が麻痺しているとまでは言いませんが、本来果たすべき役割を果たしていない。

歴史の教訓の一つとしてケネディ大統領暗殺が思い浮かびます。テキサスのダラス市で、白昼堂々と暗殺したわけですが。こういうことはＣＩＡやＦＢＩを抱き込まないと不可能です。

当時のニュースで伝えられたような、リー・ハーヴェイ・オズワルドの単独犯でないことはもう明確です。当時の映像を観れば確認できるんですが、銃弾は１カ所ではなく、数カ所から撃たれている。ということは単独犯であるはずがない。しかもそのオズワルドは警察署内で射殺されている。

暗殺事件の真相は、２０３９年に公開されるウォーレン報告書で明白になるのですが、報告書が作成されたのが１９６４年、75年後にしか公表できないということです。公開まで75年かかるという事実をもってしても、ケネディ暗殺事件が実に複雑で暗闇を伴う事件であったかがわかります。

ケネディが暗殺された理由、それは三つあると思います。

一つは、米ソ関係の改善です。ソ連がキューバにミサイルを持ち込んだとき、ケネディはキューバ島を海上封鎖しました。しかし、ケネディがそこまでやるとはソ連も想定していなかった。近づいていたソ連の船舶はアメリカ海軍と事を構える用意はなかったので、海上封鎖線手前でUターンして引き返してしまった。

その間、やり取りはありました。アメリカもトルコからミサイルを引きあげるとか、キューバの安全を保障するとか。でも、私に言わせればそれはささいなことで、問題はソ連の実体が露呈してしまったことなんです。「ソ連はそんな国だ。ソ連はアメリカと正面から立ち合えない国だ」と。ケネディは結果的にそれを暴いてしまった。

逆に言えば、東西冷戦というのは八百長だったと思います。第二次世界大戦が終わったころ、もはやソ連はアメリカの援助がなければやっていけない国でした。アメリカは援助し、技術は盗ませて超大国という虚構をつくり上げたんです。

高山 近年の中国と同じですよね。

馬渕 まさにそうです。そうしないとアメリカの軍備を増やせない。だから、いかにも米ソが対立しているかのような構造をつくった。それがバレそうになったのがキューバ危機ということです。ケネディはそのキューバ危機のあと、米ソ関係の改善に取り組みますが、それをやられたら困るというディープ・ステートの意思が働いたと思います。

彼らの意図を暴いたのが、アメリカと対峙させられていたソ連のアンドレイ・グロムイコ外務大臣なのです。1963年、ケネディはホワイトハウスでグロムイコと会談をしているのですが、その様子がグロムイコが書いた回想録に出てきます。

ホワイトハウスのバルコニーで、たまたま二人きりで話す機会があった、と。そのときにケネディは「自分は米ソ関係の改善をしようと考えているけれど、反対する勢力がアメリカに二つある。一つは反共勢力だ。これはどこの国でもいる。もう一つは、ある特定の民族だ」と言っている。ケネディはそこまでしか言っていませんが、それにグロムイコが註をつけて、

「ユダヤ・ロビーのことを指す」と記しています。さらにケネディは「彼らは米ソ関係の改善を阻止する効果的な手段を持っている」とまで語っているのです。

グロムイコはケネディ暗殺の一報を聞いて回顧録にこう書き残しています。「自分は暗殺の報を聞いたときに、なぜかわからないが、あのバルコニーでの会話が思い出された」と。グロムイコはケネディ暗殺の犯人はユダヤ・ロビーであることを仄（ほの）めかしているのです。

二つめはベトナム戦争からの撤退。三つめは大統領令でドルを発行したこと。この三つは全部、ディープ・ステートの利害と正面から衝突します。ケネディはそれをやってしまった。

それは、後を引き継いだリンドン・ジョンソンが何をやったかを見れば明白です。ジョンソンはベトナム戦争に本格的に介入した。

高山　北爆をやったんですからね。

馬渕　それから、ケネディが発行したドルを回収してしまったんです。米ソ関係はリチャード・ニクソンのデタントまで停滞していました。つまり、ジョンソンが何をやったかということで暗殺の原因を読むことができるんです。

連邦準備制度理事会

馬渕　トランプはホワイトハウスの執務室の中にアンドリュー・ジャクソン（第7代大統領）の肖像画を飾っていたのですが、ジャクソンも粗野な大統領だったというので、米メディアが似通っていると面白おかしく報道しているのを見かけたことがあります。トランプがジャクソンを信奉している理由は公にはされていませんが、歴史的に見てアメリカ国民の利益を守ったからではないかと推察しています。

どういうことかというと、当時の中央銀行の問題です。アメリカでは第二合衆国銀行と呼ばれていました。

第二合衆国銀行は、実はロンドンのシティやウォール街の金融資本家が80％の株を持っていました。政府の株は20％に過ぎなかったわけです。この第二合衆国銀行の公認期間は20年で、１８３６年に切れるとなったとき、ジャクソンの大統領の任期切れまで1年あったのです。あらゆる脅迫があったわけですが、外国の金融資本家に支配されている通貨発行銀行はアメリカ国民のためにならないということで、彼は最後の最後まで更新を拒否した。

彼は殺害されそうになりますが、幸いなことにその銃弾は不発で難を免れ、1836年をもって民間が主導権を持つ中央銀行は存在しなくなった。のちに民間の中央銀行が設置されるのが1913年、ウィルソンが大統領のときです。つまりそれがFRB（The Federal Reserve Board）。連邦準備制度理事会とか連邦準備銀行とか呼ばれていますが、これも100％民間の金融資本家が株を持つ民間銀行です。ドルはこの民間銀行が発行していますが、アメリカ政府はFRBにドルを発行してもらうのに、国債を発行し利子を払っている状況ですから、アメリカ・ファーストの銀行ではない。

歴史を振り返ると、大統領が暗殺なり政治的な生命を絶たれるのには二つの大きな要因があります。一つは通貨。これが最大の要因ですが、二つめは戦争です。リンカーンも南北戦争が終わった年に暗殺されましたが、実は彼も戦費を賄うのに政府通貨を発行していたんです。

高山　せっかくアンドリュー・ジャクソンが退治しても不死身のように生き返って政権に影響力を与える。そう言えば、ジャネット・イエレン（前連邦準備制度理事会議長）が、バイデン政権の閣僚に入ってましたね。

プロパガンダ

馬渕　ジミー・カーターが大統領のときに安全保障担当大統領補佐官を務めたズビグニュー・ブレジンスキー（ポーランド出身の政治学者。１９２８〜２０１７）が自著で「ＷＡＳＰをエスタブリッシュメントの座から自分たちが引きずり下ろした」と言っています。どのようにして引きずり下ろしたかについては「黒人やマイノリティの地位を向上させることによってだ」と。つまり、自分たちがＷＡＳＰに代わってアメリカの支配エリートになったということ。いまアメリカの中枢にいるのはＷＡＳＰではなくユダヤ・ロビーというのは公然の事実です。

原題は『The Choice』（２００４年）ですが、朝日新聞が訳しているからぼやかしてあって、邦題は『孤独な帝国アメリカ』となっています。読者のみなさんも『孤独な帝国アメリカ』を読んでみてください。「俺たちがアメリカのエリートになった」と言い切っている。だから、ディープ・ステートは陰謀論でもなんでもない。実際に彼らがそう言っているんです。

そう言った人は、もう一人います。エドワード・バーネイズ（近代広報活動の始祖的存在。1891〜1995）という男です。

彼は『Propaganda』という本を書いていて、日本では成甲書房から邦訳が出ています。「アメリカのような民主主義社会においては、国民の世論を国民に知られずにコントロールする者が、目に見えない統治機構を構成し、真の支配者として君臨している」と書いています。彼は明確に、真の支配者は目に見えないと言っている。

高山さんもご承知の通り、彼はウィルソン大統領の下で、ウォルター・リップマン（アメリカのジャーナリスト・著作家。1889〜1974）と一緒にいたCPIのメンバーです。彼は適当にフェイクを書いているのではなくて、実際に自分がそういうことをやってきたから書ける。

高山　CPI、コミッティ・オン・パブリック・インフォメーション。これはまさにウッドロウ・ウィルソンのときにつくったもので、ウィルソンは再選する前には「欧州で起こっている第一次大戦には参戦しません」と言っていたけれど、再選されたとたんにCPIを立ち上げた。国務長官と陸・海軍大臣とメディアの代表のたった4人だけで立ち上げた委員会です。

ウィルソンの命令でCPIが活動して、沈没したルシタニア号の話を2年後になってから引っ張り出してきた。すると、メディアがドイツ人は許せない、「Remember the 'Lusitania.'」と大騒ぎして、ドイツ人はこんなひどいことをベルギーでやっているなどといった、さまざまなフェイクニュースを流した。それで参戦になる。だから、ほとんど広報機関の情報によって戦争まで持っていった。振り返れば、もともとアメリカのメディアは政権と蜜月でしたよね。

トーマス・ジェファーソン（第3代大統領）は「新聞というのは真実を醜悪な物にしてしまう装置だ」と言ったけれど、この装置をジェファーソンは取り込んで、「新聞なき政府と政府なき新聞とどちらを選ぶかと問われれば躊躇わず後者を選ぶ」という有名な言葉を残していますしね。つまり、醜悪な物を生み出す新聞も、国益という点で政府と協業していた。『Trail of Tears』として知られるインディアンの強制移動。このインディアン強制移住法も新聞は支持したし、テキサス独立戦争も「Remember the Alamo!」と世論を煽った。スペイン戦争のときは「Remember the Maine, to Hell with Spain!」と派手にやった。

馬渕　おっしゃる通りです。補足するなら、19世紀までの新聞と20世紀以降の新聞の役割は区別する必要があると思っています。19世紀までジェファーソン的なやり方で、政府と共にあった。しかし20世紀以降は政府や国益ではなく、ディープ・ステートの利益のための新聞になった。私はウィルソン以降、メディアが変質したと思っています。

高山　真実を入れると汚物にするところは変わっていないけれど、アメリカの国益ではなくなった、と。

馬渕　そうです。ここを押さえないと、20世紀が辿った歴史を理解できない。アメリカが第一次世界大戦に参戦したのはシオニストのためですからね。

高山　イギリスがバルフォア宣言でシオニズムを支持して、そこにアメリカが加わるという図式ですね。

馬渕　ウォルター・リップマンは「アメリカにおける民主主義は幻想だ」と堂々と言い放った人でもある。つまりメディアは〝アメリカには民主主義がいかにもありそう〟と洗脳しているわけです。

高山　これはまだ私しか言っていませんが、アメリカの第一次大戦参戦という初期目的を達したCPIはその後も解散せず、上海支部がちゃんと機能して支那の反日親米を盛り上げた。パール・バックの2番目の亭主のリチャード・ウォルシュもそうだし。

馬渕　それが南京大虐殺をつくり出した。

高山　その前の五四運動もそうです。それに、第二次上海事変の後、ルーズベルトの隔離宣言を出させるための材料は全部、広報委員会が用意した。パール・バックにピューリッツァー賞やノーベル賞をやって米国世論の親支那反日を育てた。

馬渕　ディープ・ステートはメディアを操作して世論を動かすことに成功した。この後、ニューヨーク・タイムズもワシントン・ポストも全部、彼らの資本に陥った。テレビは最初から彼らが三大ネットワークをつくり出した。CNNの創業者はテッド・ターナーですが、やはり買収されてしまいました。

高山　2020年の6月、シアトルであれだけの暴動が起きたとなれば、ロス暴動ほどではないまでもすぐに報道すべきものなのに、米国メディアから情報は全然漏れてこなかった。情報はインターネットからだけでした。

馬渕　しかもあのジェニー・ダーカン市長（民主党）は、トランプの介入を州知事と一緒に非難していたのに、市庁まで攻撃されそうになったから、びっくりして警察を投入したという。いい加減ですよね。

高山　象徴的だったのは、警察署長が黒人女性だったこと。彼女は「やっつけよう」と言っているのに、知事は「介入しない」と言っていた。もうめちゃくちゃです。ああいうのを見て、「なんでだ?」と思って取材して伝えるのが新聞記者なのに。アメリカみたいにバイアスがかかってないはずの日本のメディアが、それに諾々とつき従って、自分の判断を捨てている。どう考えても怠慢です。

私はかつてロス特派員だったんですが、それこそ中南米の話と西海岸の話、ハリウッドだけ書いていればいいという半分芸能記者みたいなつもりでいたんですが、興味本位で訴訟の取材をしたんです。「あれっ?」と思ったのはロドニー・キング事件が起きたからです。ロドニー・キングが白人警官に袋叩きにされたのは、行き過ぎの暴行じゃないかと言われた事件ですが、黒人の多い都市部を避けて白人の多いシミバレー（ヴェンチュラ郡上級裁判所）にわざわざ持っていって裁判をやった。

裁判は公平に行われたと思いますが、結果はロドニー・キングを殴った4人の警官は無罪になった。それで、ロサンゼルス大暴動が起きた。黒人が暴れ、ウェスタン大通りのコリアンタウンを襲撃し掠奪と焼き討ちをやり、4日間、街は燃え続けた。警察は黒人の不満が十分吐き出されるまで待って、白人の街ロデオドライブの手前で規制に入った。被害は日頃から黒人の恨みを買っていた韓国人街だけで終わりましたが、これがちょうど大統領選の時期にぶつかった。再選をかけたブッシュ親父は何を思ったか、州法で無罪になった4人を今度は連邦法の公民権で裁かせた。それで有罪にして黒人の機嫌を取って票を取り込む狙いですが、どう見たって同じ事件で2度裁く、一事不再理の大原則に違反していた。その異常さを見て米国司法を取材し始めたら、実に面白かったんです。

それこそ小さなディープ・ステートがあって、権力と弁護士の結託みたいなのがあって、もうめちゃくちゃやっているわけです。そのことを新聞に連載して、最終的には文藝春秋で本になりました。連載が始まって、最初に文句を言ってきたのは、ワシントン総局長。「アメリカの悪口を書くとは何事だ」と。その次に日本大使館の公使。深刻な顔をして「高山さん、追放されますよ」と言うので、「俺はイランで追放されそこなった。アメリカで追放されたら、そっちの方が記者としてはいい勲章になるんじゃない?」と答えておきました。3回に分けた連載でしたが、大使館筋はものすごく気にしていましたね。

馬渕 それは戦後の日米関係というか、いわゆるいまの言葉で言えば〝ジャパン・ハンドラーズ〟が仕切っていたからですよね。そういう連中が日本にどんどん宣伝隊を送り込んできて、いまだにテレビに出ている。

高山 取材記者だけはフルブライト(国際交換プログラム)をまだ続けています。親米派に育て、いつまでも服従させる。だから、メディア工作は徹底していますよね。

馬渕 ロイターが報道してBBC(英国放送協会)がそれをフォローすることで、世界のメディアの動きが決まる。それを19世紀からずっとやってきているんです。

高山　彼らはロイターだけではなく、ＡＦＰ（フランス通信社）も握っていて、あとから立ち上げたＡＰ（Associated Press）も似たようなものでしょう？

馬渕　そうです。ドイチェ・ヴェレ（Deutsche Welle）も。

高山　今度もＡＰが音頭をとって、黒人のデモは〝暴動〟とは言わない。ソーシャル・アンレスト（social unrest）、〝社会不安〟と言い換えると産経新聞のベタ記事にありました。それがＡＰの新しい指針らしいけれど、結構驚かされました。

馬渕　今回の大統領選挙に限れば、アメリカのメインストリーム・メディアはみんなこぞって「トランプが主張する不正には根拠がない」と。根拠があるのかどうか、自分たちで調べたらどうだと思うのですが。メディアが取材もせずに決めつけているということは、非常に旗幟鮮明（きしせんめい）なんです。

高山　アメリカではニューヨーク・ポストやワシントン・タイムズなどの小さい新聞社が事実を流しているんです。産経新聞の矢板明夫が書いていたけれど、ニューヨーク・ポストが流した情報の中に、バイデンの息子のロバート・ハンター・バイデンのパソコンが見つかったというのがあって。それはウクライナのスキャンダルだけでなく、中国共産党のスキャンダルも詳細に載せていました。

馬渕　ウィルソンの後は共和党政権が三代続きましたが、ディープ・ステートの支配が典型的になったのが第32代大統領フランクリン・ルーズベルトのときです。戦後も基本的にはその延長線上にあります。

高山　ルーズベルトが決めた白人支配の世界というのがあって、その時代には日本が一番じゃまだった。一方、彼の経済政策ニューディールも破綻していて、それもあって対日戦が彼の時代に引き起こされた。彼が3期目の任期途中で死んだ後、副大統領だったハリー・トルーマンが第33代大統領になる。

彼はミズーリ州出身のユダヤ系でたいへんな人種差別主義者だった。クー・クラックス・クランの一員でもあった。彼が大統領になって最初にやったのが、原爆の日本投下です。これは戦争を早く終結させるためではない。ずっと続いている民主党の白人優越主義の象徴。彼は日本に降伏を促すためと言っている。それなら広島だけで十分なのに、ウラン型の広島原爆とは別種のプルトニウム型を長崎に落とさせた。こっちのタイプの方が大量生産できると。ネバダ州のエネルギー省核実験場の資料にそのための〝実験〟と明記されている。もはや人間とは思えない冷酷さです。

馬渕 トルーマンのときの国務長官のディーン・アチソンも社会主義者ですね。

高山 それで、あのアチソン・ラインをやるんです。

馬渕 アチソン・ラインで朝鮮戦争の餌をまいた、と。

高山 「韓国が欲しかったらタダであげるよ」と言ったわけです。

馬渕 それがタダにはならなかった。その後、国連軍を使って介入した。これが重要なんですよ。言い方は難しいんだけれども、ヨシフ・スターリン（ソビエト連邦第2代最高指導者）もアメリカと共謀していたんです。結局、ソ連は安保理を欠席して拒否権を使わなかった。だから、国連軍は介入できた。実質的にはアメリカ軍です。

ダグラス・マッカーサーはそういう裏事情を何も知らずに司令官になって行って戦ったら、最初はよかったけれども中共の義勇軍が入ってきて一進一退というか、むしろアメリカに足を引っ張られた。国防長官がジョージ・マーシャルです。彼は戦後の国共内戦のときに、勝利を収めつつあった蔣介石に対し停戦を命じて毛沢東政権の樹立に貢献した。

高山 ワルですね。親中派だ。

馬渕 言い方は悪いけれど、ワルがアメリカ軍が負けるような戦争指導を仕掛けたわけです。マッカーサーが回顧録で「自分は勝たせてもらえなかった。自分がワシントンに作戦のおうかがいを立てたら、重要な作戦は全部拒否された」と書いています。

鴨緑江（中国と北朝鮮の国境に流れる河川）に橋が架かっていて、彼はそれを爆撃しようとした。それは当然です。そこから中共軍が入ってくるんだから。

ワシントンはどう言ってきたかというと「ノー」なんです。「イギリスと協議した結果、ノーだ」と言うんです。これでマッカーサーはやっと理解するわけです。彼は「ワシントンには国際的な力が働いている」と言っているんですが、これはつまり、イギリスのシティのこと。

本国に戻ったマッカーサーは上院の軍事外交委員会で「大東亜戦争はおおむね日本の自衛戦争というか、安全保障のための戦争だった」という証言をしました。しかし、日本の教科書はいまもそれを書かないわけです。

東欧のカラー革命

馬渕　ブッシュ・ジュニア（ジョージ・W・ブッシュ）は、〝テロとの戦い〟を宣言して戦争をやったわけですが、これは実際はネオコン（Neoconservatist）が政権を握っていたと見るべきです。テロとの戦争はいつでもできるんです。要するに、「おまえはテロリストだ」「おまえはテロ国家だ」と言えば戦争ができた。

ちなみにネオコンというのは新保守主義者と言われていますが、保守主義者でも何でもない。ロシア革命でスターリンと権限闘争やって敗れたトロツキー派の末裔がネオコンなんです。ですから彼らはなんとかして紛争を起こして、それで世界を統一に持っていこうといまだに思っている。

2000年代になって、いわゆる東欧のカラー革命（Color revolution）が始まりました。黒幕はジョージ・ソロス（ハンガリー出身のユダヤ系投資家・慈善家）とジョン・マケイン（2008年アメリカ合衆国大統領選挙共和党候補）です。東欧のカラー革命は、最初は20

03年にグルジアでバラ革命、2004年がウクライナのオレンジ革命、2005年がキルギスのチューリップ革命で、キルギスまでスムーズにいきましたが、その次のウズベキスタンで失敗しました。

高山　ジョン・マケインと組んでいたんですね。

馬渕　そうです。マケインは共和党だけれども、ディープ・ステート側の人間です。マケインと一緒にジョージ・ソロスのつくったNGO、オープン・ソサエティ財団が活躍したんです。何をやったかというと、今回のアメリカ大統領選挙と同じで選挙不正なんです。

グルジア（現ジョージア）ではエドゥアルド・シュワルナゼが勝っていたのを騒いで、ミヘイル・サアカシュヴィリというニューヨークで法律をやっていた男を大統領に据えたんです。ウクライナではヴィクトル・ヤヌコーヴィチが勝っていたのを不正だと騒いで、大統領選挙の再選挙をやらせ、ヴィクトル・ユーシチェンコに勝たせたんです。

その後、ヤヌコーヴィチは2010年の選挙に勝利して晴れて大統領になっていたんですが、それを引きずり下ろすために2013年末にデモを仕掛けた。EUとの連合協定にヤヌコーヴィチが反対したという理由です。

ところが、ヤヌコーヴィチは反対していないんですよ。EU側が結ばせなかったんです。

ハードルを最後に上げて、そういう言い訳をつくってデモを起こした。これがウクライナ危機の始まりです。

しかし、それをどのメディアも言わない。しかもいわゆる民主化勢力の中には暴力集団のネオナチが入っている。そのネオナチ集団がデモ隊に向かってライフルを撃ったんです。その狙撃によってデモ隊で死者が出た。それをヤヌコーヴィチ側の警護隊の仕業だとしてメディアで流して、ヤヌコーヴィチがついにもう逃げ出したと。こういう話なんです。典型的な偽旗作戦ですが、今回のアメリカ連邦議事堂襲撃事件と似ていますね。反トランプのアンティファがトランプ支持者になりすまして暴力で議事堂に侵入し、トランプ支持者が扇動されてやったことだとメディアや民主党が騒いで、トランプの所為にした。

高山　なるほど、選挙不正は得意技か。

馬渕　しかも、まだヤヌコーヴィチが政権の座にあったときに、アメリカ国務次官補のビクトリア・ヌーランドが駐ウクライナ・アメリカ大使のジェフ・パイアットと、「次はヤツェニュクにしよう」と話しているのがＹｏｕＴｕｂｅ投稿ですっぱ抜かれています。ヌーランドはネオコンの女闘士で、旦那はネオコンの理論家として有名なロバート・ケーガンです。つまり、あのウクライナ危機はネオコンがやった。

世界は知っているんだけれど黙っています。実際その通り、親米反ロのアルセニー・ヤツェニュクが首相になりました。私もよく知っている男で、私がウクライナにいたときには外務大臣を一時やっていました。

反ロシアのヤツェニュクが何をやったかというと、ウクライナに住んでいたロシア人の虐殺です。だから、プーチンがロシア住民が多いクリミア半島を取ったわけです。

ウクライナ危機というのは、そういう状況なんです。ところが、「プーチンがウクライナの民主化運動を弾圧した」と世界のメディアは流している。まったく逆なんです。

当時、日本はいちおうつきあいでロシアに制裁したことにはなっていますが、実質的な制裁は何もしていないんです。そこが安倍前首相の偉いところですね。

中東の名君狩り

馬渕　ネオコンは東欧だけではなく、中東・北アフリカも民主化運動（アラブの春）の名のもとに掻き回しました。アラブの春は、2010年のチュニジアのジャスミン革命から始まりエジプトにも広がりました。高山さんもご承知の通り、チュニジアなんて世俗主義政権で最も繁栄していたイスラム国家ですよね。

高山　そうですよ。ウイスキーだって持ち込みできたんだから。日本から見れば、なぜチュニジアなのかと思いますしね。それが、ホスニー・ムバラクのエジプトに飛び火したり、リビアのカダフィにも及んだ。

馬渕　まともなイスラム世俗国家を潰すのが民主化運動だというわけです。

高山　治安の行き届いた国をつぶしている。アラブの春の前にはイラクでもやっている。標的はサダム・フセイン。アメリカは彼を極悪人のように言うけれど、欧米にとられていたイラク石油を取り戻して、その金で教育を普及させたんです。さらに宗教的に封じ込められていた女性を解放し、女子教育を実行してユネスコからも表彰されている。彼はイスラムを嫌っていて、ワインは飲むし、スペアリブが好物だった。それに反発したのがイラク領内のシーア派。彼らは何度もサダム暗殺を試みて、そのつどサダムが報復する。アメリカはそれを利用してスンニ対シーアの低次元宗教戦争ということにしてサダムを抹殺したわけです。

馬渕　イスラム世界を紛争の場にしようとしていたんですね。そのためにイラク戦争をやったようなものです。

アラブの春で一番ひどかったのはリビアです。リビアはムアンマル・アル＝カダフィが豊富な石油資源を活用して国民のための善政を敷いていたのです。リビア人の生活水準はアフリカで一番高かった。それを潰してしまったんです。

高山　アラブの春という名の民主化運動が実はヒラリー・クリントンの謀略だったと聞かされたときは驚きましたね。馬渕さんがおっしゃるように、リビアは中東・北アフリカ諸国の中でも安定した国家だった。人口は約６４０万人で部族社会。世界第10位（アフリカ第1位）の良質な原油埋蔵量を誇っていたんですから。

カダフィはその統治でイスラムの旧弊を排し、家に閉じ込められてきた女性を解放し、教育を与えたんです。チャドルなどイスラム的な服装からも女性を解放した。カダフィの養女は学校に通い、女医として活躍していたんです。

彼が一番苦労したのがイスラムの旧弊、4人妻制。無理にやめさせれば聖職者は黙っていないし、強行すればイランのパーレビ皇帝のようにモスクと対立し、政権も危うくなる。それで4人妻制を認めながら、民法を改正して2番目以下の妻については第一妻の承認を必須とするとして、結果的に4人妻制を廃したんです。

カダフィは間違いなく〝英君〟だったと思います。アメリカのメディアは、彼を〝砂漠の狂犬〟と呼んだけれど、それはごく一面的な見方です。日本のメディアも、それを鵜呑みにして追随した。ヒラリー・クリントンはそのカダフィを〝倒すべき長期独裁政権〟として排除しようとした。

実はNATO空爆が始まる数週間前、ブレア元首相とカダフィが電話会談しているんです。ブレアは首相時代、カダフィと〝砂漠の密約〟を交わしていて、これは、リビアにテロ活動を止めさせる見返りに、英国製防空ミサイルの売却を認めるというものです。

ブレアはそのつながりもあり、またアメリカの思惑を知っていたから、カダフィに「命の危険があるから逃げろ」と助言した。でもカダフィは結局亡命しなかった。死を覚悟していたということです。カダフィがなぶり殺しにされたあと、リビアでは〝ベンガジ事件〟が起こる。

馬渕　2012年9月11日にリビア東部のベンガジにあるアメリカ領事館が襲撃されスティーブンス大使ら4人が過激派に殺された。アメリカが反リビア勢力に提供したアメリカ製の武器を回収して、それをシリアの反アサド勢力に送るために行ったということです。

高山　つまり、ＩＳ（Islamic State）ですね。

馬渕　それを指揮したのもヒラリー・クリントン。それを私用メールでやっていた。それがベンガジ事件の本質ですよね。ＦＢＩがまともに捜査しなかったので、彼女は逃げ通しましたが。

高山　米国ではポピュラーな話だったんでしょう？　そういうのをアメリカのメインストリーム・メディアは一切取り上げない。

馬渕　そうなんです。もちろん日本のメディアも。アラブの春は民主化運動だと言っているけれど、とんでもない。

高山　アラブの春は結局、カダフィやベン・アリ、ムバラクなど中東、アラブ圏の名君をみな取り除いた。

馬渕　その名君のうちの最後の一人がシリアのバッシャール・アル＝アサド。ところが、アサドは倒れませんでした。途中からロシアが介入したこともありますけれど。
　そもそもＩＳはネオコンがつくったものだから、自作自演なんですよ。アメリカがＩＳを攻撃するなんて言って、嘘ばかりでね。ＩＳの領地にアメリカ製の武器をわざと落としているんです。それを「誤って投下した」と表には出していました。ＩＳの支配地域にアメリカが誤って武器を落としてしまったと、本当に新聞に出ていた。これはもうお笑いです。

高山　あれだけ意気盛んだったＩＳがトランプ政権になったら一気に下火になった。

馬渕　そこでこれが重要なのですが、２０１３年、アサドは反政府勢力に化学兵器を使ったとメディアに騒がれた。それに対して、オバマは「制裁する、爆撃する」と言って拳をあげたら、肝心のイギリスがついてこなかった。それで、オバマはやめてしまったんです。そこにプーチンが出て来て化学兵器問題は国連の管理下で処理するというスキームをまとめてしまった。これで世界の指導者としてのオバマの地位は失墜しました。

高山　米民主党は独裁国家を見つけたら、それを悪と見做し徹底的に潰すことを実行してきたわけですね。いわば〝斬首作戦〟とも〝例外主義〟とも言われる、ポスト冷戦におけるアメリカの外交政策ですよね。しかも民主党の場合は〝弱者の味方〟という仮面を被っているので厄介な連中です。

馬渕　そして、2013年の暮れにウクライナ危機が起こります。つまり、連動しているんです。プーチンが表に出て来たせいで、せっかくのアラブの春を潰されたので、今度はプーチンがウクライナで絡められたんです。こういう続きになっている。全部絡んでいて、その背後にいるのはネオコンです。

高山　2020年1月3日、トランプはイラン革命防衛隊のガセム・ソレイマニ司令官を空爆で殺害させました。あれはイスラム恐怖政権の要にあった男で、彼がいなくなればイスラム坊主だけではやっていけない。40年前、アメリカがパーレビを除去させて押し付けた時代錯誤の宗教政権は崩れていくしかない。私にはトランプはネオコンというか、その類が過去にやった悪さの償いをやっているように見えましたね。

そのすぐあとに、ウクライナの旅客機がイランの地対空ミサイルによって撃墜された。しかし、イランの市民は反米デモではなく、ハメネイ体制に対してデモを起こした。

トランプはイラン市民に向けてTwitterで「長く苦しんできたイランの人々よ。私は大統領就任の当初から、あなた方と共に立ってきて、私の政権は引き続きそうする。私たちはあなた方のデモを注視し、あなた方の勇気に感銘を受けている」と、英語に加えて、ペルシャ語でも激励した。ポンペオも「イランの人々の声は明らかだ。政権の嘘や汚職、愚かさ、革命防衛隊の残虐性にうんざりしている」と。

朝日新聞はこれを〝米、デモあおる発信〟という見出しで報道した。〝米国としては、デモ隊が政権を揺さぶり、イランが不安定になることは歓迎だ〟と書いている。トランプがデモを煽ってイランの政情不安を助長していると言いたいわけですよ。

本来なら、イラン市民を40年近く苦しめてきたデモの原因である宗教政権を問うべきであるはずなのに。

ローグ・ステート

高山　１９７９年のイラン革命も出だしは、アラブの春とそっくり同じだったように思います。イランのパーレビ皇帝は偉い人で、教育の普及と工業化を両輪にして近代化路線をひた走り、目標は公然と「西アジアの日本たれ」と言っていた。

近代国家としてきちんとした税制が敷かれれば、農民を小作人として巨利を得ていたイスラムモスクは成り立たなくなる。それでホメイニ師（ルーホッラー・ホメイニー）のイスラム勢力が抵抗し、フェダイン・ハルクなど左派勢力と共和主義者と一緒になってパーレビを追放した。

イランでは〝知の象徴〟であるイスラム導師は民を正しく導いたあと、静かにモスクの奥に消えていくんですけれど、ホメイニ師は違った。皇帝を追放したあとも中央にとどまった。そして、共闘仲間だった共和主義者、左派勢力、そして国軍の幹部を粛清して、メディアは銃殺刑の様子や共産党の女活動家が石打ちの刑で殺される姿を連日のように流し続けたんです。

次に自分を最高指導者とするイスラム独裁体制を承認するかどうか、国民投票を行って「99％が賛成」という結果を出した。あり得ないけれど、それに抗議したら殺された。当時、私が現地で会った人たちに、本当に賛成票に投じたのかと聞いてみたところ、みんなが「するわけはないだろう」と言っていました。イスラムを国教にして民を縛り、イスラム協会が民間の機能をすべて握っていったんです。

ホメイニ師がまずやったのは国軍の破壊。宗教と距離を置く世俗性ゆえに軍人はまともな判断ができる。政権が暴走すればポルトガルのカーネーション革命のように軍がそれを止める可能性がある。だからこそホメイニ師はクーデターを起こす能力のある国軍から手を付けて、将軍以上をすべて処刑してしまった。

ものすごいでたらめをやっている。そのでたらめの目的は、イスラエル追放。「イスラエルを海に突き落とせ」というのが彼らが掲げたスローガンだから、これを下ろせない。だから、イスラエルなんかどうだっていいじゃないかという議論になっても、「徹底イスラエル交戦だ」となる。建物の入り口にはイスラエルの五芒星みたいなのがあって、みんなが足で踏みつけるようになっていたし、壁には所かまわず〝ダウン ウイズ イスラエル〟と書いてあった。

本当に徹底した思想闘争です。

だから、いまになって困っているわけです。反イスラエルを支えるためにシーア派の帯をレバノンまで延ばそうとしていたら、トランプが司令官のガセム・ソレイマニ将軍を殺してしまったのでほとんど空中分解です。トランプはイランをセキュラリズム（世俗主義）の国にしたいと本気で考えていたと思います。

馬渕　ネオコンにとっては、ああいう不安定なというか、特異な国家を置いておくことは意味がある、使いでがあるんですよね。それは北朝鮮も同じです。

高山　なるほど。そういう意味の存在意義はあるわけだ。

馬渕　ローグ・ステート（rogue state／ならずもの国家）というのは、まさにそうです。北朝鮮ならいつでも、彼らが何か言えば暴発してくれます。麻薬取引をやってくれているし、偽札もつくる。そのために北朝鮮を使ってきた。そういう国の一つとしてイランもあった。つまり坊主政権のほうが利用価値がある。

高山　いま中東、アラブ諸国といえば、イスラエルとどんどん手を握り始めていますよね。

馬渕　あれはイラン包囲網ですが、だからこそトランプはアラブ諸国とイスラエルの間の国交を次から次へと樹立させていったのです。まだＵＡＥ、バーレーン、スーダン、モロッコの4カ国ですが、サウジがやれば、これで勝負ありなんです。それにはまだ時間がかかるかもしれない。そうなるとイランの坊主が言っている「ダウン ウイズ イスラエル」は意味がなくなる。肝心のアラブ・イスラム諸国がイスラエルと国交を回復してしまえば。

オバマまでは、無理してイラクをシーア派にして混乱させ、リビアを潰して混乱させていたんです。ソマリアが破綻国家になったのはビル・クリントンのときですが、いまも破綻国家のままです。

高山　全部、混乱させている。本当にひどい。治安の行き届いた国を潰している。

馬渕　それこそ何のために国連があるのか。国連が介入して、いまの破綻国家のソマリアをまともな国家にすればいいのに何もやりません。海運業界の人に聞いてみると、けっこうあれで儲かるそうです。つまり海賊ビジネスです。そこに投資している連中がいる。

高山　海賊ビジネスというのは、海賊業が儲かっているんですか。それとも海賊を防ぐためのほうで儲かっているんですか？

馬渕　海賊です。海賊は積み荷を横流ししますからね。海賊にそれをやらせていて、ごっそり金を儲けている。世界を混乱させるためには、そういう国はまさに存在価値がある。

ところが、メディアの報道を見ていても全然わからない。しかし、なぜソマリアは30年も無法地帯のままで放って置かれているのか、ちょっと深掘りして考えてみればわかる。

トランプの偉かったところは、「そういうことにはアメリカは関わらない」と、舵を切ったこと。アメリカ軍兵士はソマリアでたいへんな犠牲を出しています。しかし、トランプがイラクやシリアから軍を退き出したら、必ずまたそこで紛争を起こされて、米軍が撤退できないような環境をつくられてしまいました。アフガンでも撤退でタリバンとだいたい合意したということになると、テロが起きたようにね。

謝罪の手紙

馬渕　私が非常に関心を持ったのは五年前からのトルコの動きでした。２０１５年の11月24日、トルコ軍のF－16がロシア空軍のSu－24戦闘爆撃機を撃ち落とした。でも、その直前の11月15～16日にトルコ・アンタルヤでG20サミットが開かれていた。「みんなでテロ対策に頑張りましょう」と、プーチンもオバマと一緒に話し合っていた。そのすぐ後でトルコがロシア軍機を撃墜するというのは普通は考えられません。しかもトルコのレジェップ・タイイップ・エルドアン大統領とプーチンは仲が良かったんですから。

その約半年後、２０１６年7月にトルコでクーデター未遂事件が起こって判明しましたが、ロシア軍機撃墜事件はトルコ空軍の中のネオコン分子、反エルドアン分子が起こしたんです。撃墜したパイロットが捕まって判明しました。

その撃墜事件からクーデターまでの時系列を追ってみて、興味深いのは、プーチンが陰謀に引きずり込まれずに、事実上自制してトルコを攻撃しなかったことです。エルドアンもロシアに強い態度をとらなかった。プーチンもエルドアンも乗ってこなかったので、何が起こったかというと、トルコの中でテロが起こったんです。

高山　クーデターのことですか？

馬渕　クーデターの前に、ISのイスタンブール空港でのテロがあったでしょう？　イスタンブール空港でのテロは、実はエルドアンがプーチンに謝罪の手紙を出したのが公になった直後に起きているんです。

撃墜事件を仕組んだネオコンとしては、そのままトルコとロシアを衝突させる計画だったんだと思います。プーチンはもちろん乗らなかったけれども、エルドアンも乗らなかった。それで、エルドアンに対露強硬策を取らせるためにトルコ国内でテロが立て続けに起こった。ネオコンにしてみれば、メンツがあるわけではないけれども、計画を全部潰された。これはそういう事件に全部絡んでいる。

当時はネオコンが世界でなんとか紛争を起こそうとしていた。その狙いはプーチンなんです。プーチンを引きずり込む。たとえばトルコとの紛争に引きずり込む。その前にウクライナが起こっていたから、ウクライナに引きずり込もうとしてもプーチンが全然乗ってこないので、シリアでやったり、またウクライナに戻ったりを繰り返している。これは時系列で調べてみると、明確にわかります。ネオコンがずっと世界で紛争を起こしてきたということです。

これは傍証の一つで面白いんですけれども、2015年にロシアの民間航空機がシナイ半島の上空で撃墜され、空中爆発した。あれはISが犯行声明を出して「ロシアがシリアに介入したからやった」と言っているんです。ならば、なぜアメリカが介入したときには、アメリカの航空機を落とさなかったのか。ISはネオコンがつくったんだというのは、公開情報を丹念にチェックすればわかります。アメリカのメディアはもちろん言いませんし、日本のメディアも何も言いませんけれど。

高山　外務省出身の馬渕さんだからこそ、そういう分析をされていますが、日本の外務省もちゃんと分析しているんでしょうかね？

馬渕　していません。していないから問題なんです。

明治維新

馬渕　私が知る限り、プーチンほど日本を理解している政治家はいないんです。それはプーチンが就任してしばらくたってから、日本の丹波實氏が大使として行って信任状を奉呈したときに、「自分は日本を愛している。日本の文化を勉強した人間としては、日本を愛さざるを得ない」と言っているんです。

プーチンが2000年に大統領になるときに書いた論文があって、その論文の中で〝ロシアの新しい理念〟ということを綴っているんです。いわゆる普遍的価値、グローバリズムと言ってもいいですが、その普遍的価値とロシアの伝統的価値をうまく有機的に融合させることによって、ロシアの新しい理念が生まれると。その新しい理念のもとで、ロシアの近代化を図るというのが、彼の目標です。

それを成し遂げたのは明治維新の日本です。だから、彼は日本に注目しているんです。柔道だけではない。むしろ柔道よりも、日本が明治維新以降、西欧化と日本の伝統とをうまく結びつけて発展してきたこと、それに注目しているんです。そういう意味で、プーチンは本当の意味で日本をよく理解している。安倍さんもそれを理解しておられて、あそこまでの関係が築けたんです。

オリガルヒといわれるロシアのユダヤ系新興財閥を追放したりして、プーチンは実権を握ったわけですが、彼らはプーチンを憎んでいる。実はアメリカ同様にロシアも、〝獅子身中の虫〟を抱えているわけです。でも、ディープ・ステートがメディアを握っているからそんな話は出てこない。プーチンが日本のメディアも含めて世界のメディアから悪者にされているのもそのせいです。

私は親プーチン、反プーチンというよりも、日本のいまの国益という点からロシアとどういう関係を持つべきかを考えるべきだと思っています。いまはロシアとの関係を強化するのが、国益にとってはメリットです。つまり、中国の暴走を抑えるという意味で、アメリカはもちろん重要ですが、ロシアとちゃんと関係を維持しておくことが重要です。

再選されれば、トランプは晴れてプーチンと協力できた。いままではやろうと思っても、ロシア・ゲートを突き付けられたり、ウクライナ・ゲートに足を引っ張られて、米ロ関係の改善ができなかった。話は飛びますが、北方領土問題が解決できなかったのは、そこにも遠因があります。

高山　ソ連は先の戦争で日本が降伏したあと、卑怯にも千島を攻め北海道まで取りにかかった。それがスターリンの予定だったのに、出鼻の占守島で銃を置いたはずの日本軍にコテンパンにやられて、9月2日の降伏調印日になっても歯舞、色丹までしか行けなかった。今度、中国が代わりに北海道に来るといえば、獲物としての北海道にロシアが黙っているとは思えない。絶対に中国牽制をやると思うんですが、どう思われます？

馬渕　それもありますが、ロシアが中国を牽制しなければならない理由に、シベリアが中国に飲み込まれるという危機感もある。

高山　シベリアに中国人がどんどん入り込んでいますしね。

馬渕　シベリアの広大な領域にロシア人は600万人しかいないんです。そこに中国人のほうがはるかに多く入植している。これはプーチンにとってはたいへんな脅威です。中国が最大の敵ですからね。表立ってそれは言わずに、中国と仲良くしているかのようにしていますけれど。

国際協調

高山　昔、ルーズベルトのときにCPIを使っていろいろな戯画が出ましたよね。日本は巨大なヘルメットをかぶったゴリラみたいな図で、アジア諸国を脅し上げるようなポーズをとらされているわけです。その絵はみんな覚えているじゃないですか。ニューヨーク・タイムズが、それと酷似した巨大な竜に安倍晋三以下アジア諸国がその前でおびえる図を描いているんです。中国はそういう巨大竜になっている。

そういう風刺画が出てくるのにどんな意味があるかといえば、日本は弱小国だと言っているわけです。もはや世界の強国ではなく、中国に脅されるアジアの一国でしかないと、少なくともニューヨーク・タイムズは思っている。それを見て反発する精神を、日本人は持っていなければいけない。

もう一つ、菅が総理になってからだったか、産経新聞か朝日新聞かどちらかは忘れましたが、日本も国際機関の長に人を出せとかなんとか書いてありました。

私の記憶では、国際機関の長は弱小国の者がなるのが形だった。要するに、五大国やそれに準ずる国はそんなポジションをとらない。

そこをやると国際機構が歪むからというのもあるし、禅譲の儀みたいなもので、こういうところで弱小国にも表に出してやろうという温情です。だから国連事務総長にはビルマ（現ミャンマー）のウ・タントとかガーナのコフィー・アナンとかがなった。

潘基文が出るときも、麻生太郎は「韓国は弱小国だから、やらせてやれ」みたいな感じだったと私は理解して、大国がなるものじゃないと思っていた。WHO（世界保健機関）やWTO（世界貿易機関）の事務局長もそういう感覚があったじゃないですか。そこへ日本も出ていこうというのは、自分から弱小国だと言っているようなものだ。そう思わないですか。

馬渕　私もそう思います。でも中には、アメリカが事務局長を離さないというか、実際に取っているところもあるんですよね。国連の初代事務総長は、トリグブ・リーというノルウェーの男でした。しかし、これはNATOのメンバーだから具合が悪いんじゃないかということで、スウェーデンのダグ・ハマーショルドになった。おっしゃるようにその後は弱小国です。潘基文がなったのはちょっと異常でしたね。いまはポルトガルのアントニオ・グテーレスです。昔の人はともかく、彼らはやはりグローバリストだから、いまのグテーレスもそうだけれど、ディープ・ステートの発想で戦略を立てています。

だから、コロナでWHOと組んで、グテーレスは「いまこそ国際協調が必要だ」と言うけれど、どこの国も国際協調が必要だなんて思っていませんよね。自分の国のことで精一杯。

高山 グローバリストのキーワードは〝国際協調〟ですね。

馬渕 国際協調なんです。ところが、トランプは国連をまったくあてにしていなかった。

高山 どんどんやめてしまった（笑）。

馬渕 アメリカがどんどん退いてしまったので、国連はやることがなくなったんです。グテーレスもやることがないから、国連シンポをしてくれと日本に秋波を送っていますね。

〝国際協調〟はディープ・ステートのお馴染みのキーワードです。これは私が勝手に言っているのではなく、ブレジンスキーです。なぜブレジンスキーかというと、彼はディープ・ステートの計画を発信している。もう一人、ヨーロッパで発信しているのはジャック・アタリです。

二人の本は近未来のことが当たるんです。当たると言うのは変だけれども。というのも、ディープ・ステートが世界をこう動かす、こういうふうに持っていくという近未来を書いているからです。だから私はブレジンスキーの本を丹念に読むんです。彼は学者としてはたぶん二流だと思いますが、ディープ・ステートの論客というか、広告塔だった。

高山　ブレジンスキーは戦略家なんですかね？

馬渕　いや、ディープ・ステートがそういう戦略をとっているから、結果的に彼の戦略が当たるということになっているんだけれども。彼は大のロシア嫌いなんです、いまのね。

高山　東ヨーロッパ出身ですよね。

馬渕　ポーランド出身です。国連機関というのは世界をグローバル化する手段だと彼は言っています。たとえばＩＭＦ（国際通貨基金）も国連ファミリーの一つだから、金融的にはＩＭＦだ、と。貿易はＷＴＯだと言っている。

ところが、もう一つがない、と。それは人の移動、移民の国連機関。その国連機関をつくるべきだとまで言っているんです。

金と物と人の移動を自由にするというのは結局、世界をグローバル化して統一するということでしょう？　それが国連の機関だと、はっきりと位置づけています。

ポリ・コレも含めて、国連本部はそういう条約をつくっては各国に批准しろ、批准しろと言っているわけです。

高山　世界の学術会議ですね（笑）。

馬渕　そうです（笑）。移民条約というのをつくったけれど、これは反対が多くて条約にはできませんでした。移民グローバル・コンパクト（安全で秩序ある正規移住のためのグローバル・コンパクト）です。それには移民は同化しない権利を持っていると書いてある。自分の文化をそのまま移民した国で主張する権利がある。それを害してはいけない。そんなことまで書いてあるんです。もうめちゃくちゃなんですよ。

まさにポリ・コレにしたがって、世界を平準化するための手段です。そのために国連が使われている。国連をつくったのは、土地を寄付したのはジョン・ロックフェラーだけれど、あれはディープ・ステートそのものですからね。

書けない歴史

馬渕　国際連盟はウィルソンがつくったとされていますが、彼というよりは取り巻きがつくりました。それはウォール街の連中です。バーナード・バルークやマンデル・ハウス大佐という名前はときどき聞きますが、そういう連中がつくって、民族自決を謳いつつも、世界の紛争を激化させるようなことをやったんです。

民族自決は、実際にはドイツ領の民族の自決なんです。そこだけでアジア、アフリカの植民地にはまったく手をつけていない。そういうのをつくって、独立したチェコとか、あの辺の小さい国が日本をいじめたんです。

チェコなんてひどいですよね。国際連盟で日本非難の急先鋒になっていた。満州事変は蔣介石と日本が話し合えば解決できたはずですが、そこに国際連盟が絡んできたから長引いたわけです。

高山　チェコが入ってきたんですか。

馬渕　チェコはウィルソンにつくってもらった国だから、ウィルソンというか、アメリカのディープ・ステートにもうベタベタでした。

高山　シベリア出兵でチェコの部隊を守ったのは日本兵だったのに、何を言っているんだ。

馬渕　そうなんですよ。そういう理不尽なことをやっている。

高山　でも、ポーランドは親日ですよね。

馬渕　それはロシアにいじめられたこともあるからだと思います。シベリア出兵にしても、日本の歴史教科書はまったく逆を書いています。日本が勝手に領土の拡張をしようとしたからだと。

高山　あれは要請されたから、いやいや行ったんですよね。

馬渕　ところが、アメリカはどうかというと、英語もできないようなポーランド系ユダヤ人のアメリカ兵が来た。それはボルシェビキ政権を守るためだった。日本は共産主義がシベリアから南下しないように出兵したんです。チェコを救うという名目があって、実際に救えたんですけれども。

アメリカはまったく逆。ボルシェビキ政権を守るために行った。これが歴史の皮肉というか、歴史教育で教えられていないことなんですよ。

そして、日本は領土的野心のために介入して、最後まで居座ったと我々の教科書には書いてあります。でも、それはご承知の通りニコライエフスクの日本人虐殺事件（泥港事件）があって、邦人保護のために残らざるを得なかったわけです。しかし、そういうことは書かないんです。

話が飛躍するようですが、アメリカの実体はウィルソンのときからすでに社会主義国なんです。ロシアだけではないんです。ソ連とアメリカという二大超社会主義国が、第二次世界大戦でヒトラーを倒して、東欧をはじめ中国を含めて社会主義化しようとした。共産主義を広げようとした。それは成功したんです。

ところが、これは渡辺惣樹さんも言っていますが、ルーズベルトやチャーチルの戦争指導を、いまの正統派歴史家は誰も批判しない。

ルーズベルトが主犯でチャーチルは共犯ですが、ルーズベルトの周りの側近は、はっきり言えば全員がディープ・ステート。それがヒトラーのポーランド侵攻を引き起こした。

高山　ポーランド侵攻もそうなんですか。あのときは独ソ不可侵条約でスターリンと組んでいましたよね。

馬渕　結んではいたけれども、その前にポーランドに対して、ポーランドの独立を保障すると言ったのがイギリスとフランスです。これで、ポーランドはヒトラーに対し強硬になれたわけです。そして、ポーランドに対して、「助けてやるから、ヒトラーと戦争をしては」と言ったのがアメリカです。

ヒトラーだけ悪者になっていますが、実際はヒトラーだけが悪者ではない。みんななんとかあそこで戦争を起こそうとしたんです。そのためにヒトラーは利用されたという側面が強い。歴史からまったく消されているんですが、それを研究した本はかなり出ています。ただし、こういう本はアマゾンでは手に入りません。アマゾンはあちら側ですから。でも、そういうことをちゃんと研究している人はいる。

高山　ヒトラーはスラブが嫌いだった。ユダヤ人よりも嫌いでしたから。ユダヤ人の殺戮数よりポーランド人の殺戮数のほうが多いとも言われています。半分はソ連がやっているけれど、まともな指導者層は皆殺しにし子供まで奴隷にした。それで、20世紀末に子供らを強制労働させた民間企業とドイツ政府でその非道に対する賠償基金をつくった。『記憶・責任・未来財団』という名称で。

いまの韓国は日本に出稼ぎにきた自称徴用工の慰謝料として、一人1000万円よこせと言う。それは『記憶・和解・未来財団』と言って同じような名前です。あの例を出して、

「ドイツはこうやって財団をつくって補償しているじゃないか」と、韓国は必ず言う。「ふざけるな、お前ら」と。日本に来て職にありついて働いていたのに比べれば、ポーランドは学校教育まで制限されて有識者、軍人は全部殺されて、子供たちは強制連行されてドイツの工場で強制労働させられた。財団を立ち上げても、そんな元子供達が受け取ったのは一人200万円ぐらいです。他方、徴用工だという名目で一人1000万円を要求し、似たような基金名を立ち上げるのが韓国なんですよ。

中国といい、韓国といい、どうしてこうなのか。戦後、ソ連が日本兵を中心に70万人のシベリア抑留をやったけれど、中国はもっとひどいんです。日本兵をそのまま奴隷戦士として、共産軍と国民政府軍の戦争に使っていた。傭兵以下というか、スパルタカスと同じで、命をかけて殺し合いをやらせているんだから。あんなのはまともな国じゃない。中国やいまの韓国みたいなのは、日本がまともに相手する必要はないのに、いまの政治はそういうところをいっさい通り越して、知らんぷりして逃げているような気がしてしようがない。

二階俊博は「隣国だから仲良くしなきゃだめだ」と言うが、好きであんな非常識で狡猾な国の隣国になったんじゃないんだから。

金正日が小泉純一郎を呼んだときに、あっさり拉致を認めて、その代わり、「韓国と同じ賠償をいまの比率でよこせ」と言ったんでしょう？

馬渕　1兆円です。あの根回しというか露払いをしたのは、田中均アジア局長でしょう？〝平壌宣言〟も事実上、彼が書いたようなものです。いま相場は1兆円になっています。元々はこの10年ほど前に超党派の金丸ミッションが北朝鮮を訪問して、金丸・金日成会談で8000億円とのラインが決められたようです。また、韓国の場合と同じく、個人の請求権は認めないということです。

高山　1940年、パリが陥落したあと、タイが勝手に仏印軍と戦争をやったじゃないですか。簡単に勝てると思って戦いに行ったら、あっさり全部やられてしまった。負けて全滅だというときに、日本が仲裁に入って東京条約を結んで、戦勝国にしてもらってかつて割譲させられた領地を取り返した。

そのときにプレーク・ピブーンソンクラームは日本軍にタイ国内の領内通行権を与えると約束したんですが、開戦になって、日本がマレー半島侵攻のときに領内通行権を使っていきますよと言ったのに、ピブーンソンクラームは電話に出なかった。

電話に出ないで何をしたかというと、ピブーンソンクラームは日本に脅されて上陸されたんだというポーズをつくると同時に、モムラーチャウォン・セーニー・プラーモートに亡命政権をアメリカにつくらせて、日本が勝っても、アメリカが勝ってもどちらでもいいように、両天秤にかけておいた。結果、亡命政権のおかげでタイはお取り潰しにならずに済んだ。

実は日露戦争のときの韓国もまったく同じで、大院君というのはロシア寄りのままで、李完用が日本寄りのままで、日露戦争でどちらが勝ってもいいようにやっていた。

結果、日本が勝ってしまったので「これからすがるのは日本だ」となった。弱小国の生き方として、日本に寄生すると言ったのは韓国のほうなんだから。そういう歴史を正しく伝えて、「お前らは寄生虫だった」とハッキリ伝えねばならないときです。

馬渕 それがトランプのときには言えたんですよ。それをなぜ言わなかったのかは問題ですけれどね。オバマまでは言えなかった。韓国のバックにディープ・ステートがいて日本封じ込めの一環として韓国を使ってきたから。

2018年、徴用工の判決が出ても日本は一切ぶれなかった。直接は介入しなくても、あれはトランプの隠然たる存在があったからだと思います。

日本が輸出管理を強化したとき、朝日新聞は「日韓にこれ以上の悪化措置はとらないとの協定を結ばせるとアメリカの高官が言っている」という誤報を出した。おそらく意図的に。でも、そうはなりませんでした。トランプになってから、朝日新聞のああいう昔使った手法が、通用しなくなっていた。

高山　バイデンになったから、また使うようになるわけか。

馬渕　その可能性は大いにあるでしょうね。

第三章

縛られる日本

主権国家たれ

高山　いままでの米国の対日姿勢というのは、どちらかというと米国民主党がリードするような極東政策だったと思います。その典型が〝ビンの蓋論〟です。要するに、日本を絶対に再起させない政策です。

どうやって大きくさせないかという各論では、学術会議や憲法も含めて、GHQがさまざまな呪縛を残していきました。日本を封じ込めて、韓国と中国に悪いことをしたと言って常に日本に負い目を感じさせる極東政策をずっと続けてきたわけです。

日本がちょっと防衛力を強化すると、「軍国主義に戻るのか」と中国が騒ぎ出すようなね。そういう波が表立って大きく出てきた例としては、まず中曽根康弘の参拝中止（1985年8月15日に中曽根康弘首相が戦後の首相としては初めて靖国神社を公式参拝し、同年9月には中国で靖国参拝を非難するデモが発生）もあるだろうし、それに宮澤喜一の近隣諸国条項問題もある。

日本は悪いことをしたから武装をしてはいけない、軍国主義に立ち戻ってはいけないと声を大きくして、その分、日米安保がカバーしてくれていたというのが、オバマまでの日米間だった。

ところが、トランプが出てきて「おまえらの国のことは自分でやれよ！」と言われた。それに対して、「だって、アメリカが作った憲法が……」と言うと、「そんな憲法なんか知らねえよ！」と。トランプにそう言われたときの衝撃は、日本人にはものすごく新鮮だったんじゃないかと。

馬渕　やはり日本は、アメリカに基本的には独立国家というか、主権国家と見做されていなかった。それがトランプになって、「主権国家らしくふるまえ」と言われたから、本当にびっくりしちゃったわけです。

あのとき、安倍さんはすぐに靖国に行けばよかったと私は思う。アメリカは何も言えないですよ。「主権国家として、私はやりました。日本国民が望んでいることだから、やりました」と言っておけばいいんです。

高山　日米安保というのは米国の都合で日本に押し付けられたものなのに、トランプから「なんで米国兵がおまえらのために血を流さなければいけないんだ。おまえらは核武装でも何でも、自分でやれ！」と。

「米国兵が血を流しているときに、日本人はソニーのテレビでそれを見ている」とも言われた。つまり、いきなり現実を突き付けられた。まさにトランプ・ショック。

トランプはEUの国々に「国防費がそんなに低くていいのか。倍に増やせ！」と言って、いまの日本にはショック療法を続けて「倍の国防費を自分で出すんだ。憲法なんかどうだっていいよ」みたいなところまで言ってきた。

馬渕　いまのお話で非常に重要なポイントは、結局4年経ってもトランプの実体が日本人には伝わっていないことです。トランプが本当は何を言いたいのか。それはメディアが伝えないというのも大きいですが、外務省も含めて、政府もいまだに基本的にはジャパン・ハンドラーズ（アメリカの知日派。日本と歴代の米政権の仲介者）の関係者から情報を収集しています。だから、トランプがおかしいとか、変だとか、人種差別主義者だとか言っている。

産経新聞ですら「あの男はダークサイドだ」と書いている。OBの高山さんには悪いけれど、産経新聞ですらこういう報道をやるから、いまおっしゃったようなトランプの実体が日本に伝わっていないんですよ。

日本の政府も含め、メディアの捉え方は「トランプはホスト・ネーション・サポート（駐留経費）の増額を要求してきた強面のネゴシエーター」とかね。そういうことでしか捉えていない。

日本はトランプに、「独立国になりなさい」「主権国家になれ」と言われている。その意味がわからないんです。それが高山さんのおっしゃる〝GHQの縛り〟で、我々はいまだに縛られているんです。アメリカが守ってくれる温室の中で、「何も悪いことはいたしません。お金が必要ならばお出しします」とやってきてしまったから。

GHQの縛りと同じことを、例のブレジンスキーもはっきりと言っています。「日本をリージョナル・パワーにはしない」と。リージョナル・パワーにはしないというのは、独立国家にはしないということです。その代わり、「日本はインターナショナルな存在であれ」と言っているんです。

つまりそれは、カナダのような無害な存在になれということ。「世界でお金が必要なときには黙って金を出せ。日本はそれでいいんだ」と。それがGHQの敷いた路線なんです。

東アジアの安全保障環境からいえば、それが東アジアレジームと言われるものであって、日本をリージョナル・パワーにしない包囲網です。そのために、韓国や違った意味で北朝鮮も使い、かつてはソ連も使い、中国も使って封じ込めてきた。これが終戦からオバマまでの極東の体制でした。

ところが、トランプが来て突然、「日本よ！　ジャパン・ファーストだよ。ジャパン・ファースト！　わかるだろ?」と。

しかし、残念ながら日本の政治家も官僚も〝ジャパン・ファースト〟の意味がわかっていないんですよ。何をしたらいいのかわからない。

「日本よ、もう自立していいんだよ」と言われても、いままで国際政治の荒波から手厚く庇護されていた子供ですから。いささか劇画的ですが「どうしたらいいんでしょう、私は?　トランプさん教えてください」という感じでしたよね。

東アジアレジーム

馬渕　ＧＨＱを握っていたのは社会主義者というか、〝ニューディーラー〟ですよね。よく言われているように、チャールズ・Ｌ・ケーディス（日本国憲法制定のＧＨＱ草案作成の中心的人物）もそうですが、アメリカでルーズベルトのニューディール政策をやってきた連中、ニューディーラー（ニューディール政策に関わり、社会主義的な思想を持つ人々の呼称）が占領軍の一員として日本に来て、アメリカで実現できなかったことを日本でやろうとしたんです。

つまり、社会主義化です。アメリカでは途中までやりましたが、さすがにアメリカの最高裁もそれはおかしい、憲法違反だと言って、多くのニューディール政策は潰された。〝アメリカを社会主義化する〟という彼らの野望はついえましたが、それを日本に来てやった。それがＧＨＱの正体です。

その縛りがプレスコード（ＧＨＱが日本の新聞・出版に対し、占領政策批判を取り締まることを主な目的として出した準則）であり、教育改革、農地改革、共産党の合法化、それに公職追放です。その後遺症がいまだに残っています。

高山　そもそもいまの日本における様々な国家的問題はＧＨＱが種をまいたわけですよね。たとえば少子化問題。ＧＨＱが国政選挙に干渉して加藤シヅエを当選させ、彼女と社会党を使って子を産まない自由とかきれいげに言って中絶自由の優生保護法を成立させた。

労働組合法もそう。企業経営者も従業員も一緒になって良い製品を作ろうと努力するのが日本のモノ作りの根本だった。だから労働者と経営者を分断し対立させて、生産性を悪くさせたかった。日本の工業力については、鍋釜しかつくれないレベルまで落として（デモンタージユ）、農業国化することをエドウィン・ポーレーの賠償使節団が進めていたけれど、幸いと言うか、その途中で朝鮮戦争が勃発してしまったために、日本の工業力が必要になり、日本はなんとか首の皮一枚で工業国として生き残れた。

マッカーサーの戦後処理は、紀元前3世紀にローマが最大の敵であるカルタゴの牙を抜くために、ポエニ戦役でやったことに瓜二つです。

ローマは負けたカルタゴに対し、カルタヘナなど植民地の没収・交戦権の放棄・軍の解除と軍艦の焼却・膨大な賠償金の支払いを要求しました。そして、カルタゴの交易船も燃やして農業国化を強いた。憲法9条の軍隊の不保持と交戦権の放棄は、ローマがカルタゴに示した降伏条件そのものです。

ローマ史を読めば誰でも〝日本を叩き潰し、そこらの名もない三等国にする〟という米国の意図がよくわかります。日本から、統治していた台湾、朝鮮、南洋諸島を没収し、永世中立国のスイスに対してまで膨大な賠償金を支払わせ、戦力不保持と交戦権放棄を明記したマッカーサー憲法を呑ませた。ルーズベルトは日本人を4つの島に閉じ込めて滅ぼすつもりだった。

馬渕　トランプはそんな東アジアレジームを壊そうとしてくれたわけです。北朝鮮の金正恩と会談して拉致問題の解決を迫るなど、日本封じ込めの基盤は崩れました。ところが、日本だけがいまだに封じ込め体制にしがみついている。「国防軍なんか持ったらどう振る舞ってよいのかわからない。憲法9条を廃止したら隣国が何と言ってくるか不安だ」と、いまだに心配している。トランプがただ気まぐれに言っているんじゃないか、日本に厳しいことを言っているのはディールの一環で、防衛費をもっと負担しろという圧力に過ぎないのでは、と勝手に思い込んで安堵しようとしていた。外務省も含めてそれぐらいのマインドしか持ち合わせていないんじゃないかと思います。

政治家、外務省、知識人、メディアも含めて、戦後の国際協調というか、戦後の体制というものに安住している。「これを潰されたら困るんだ」と。

それは先ほど言ったように、日本を封じ込める体制なんですけれどね。彼らはそれを〝国際協調〟というきれいな言葉でコーティングしています。戦後のアメリカが主導したのは国際協調路線だと言っているんですよ。

ところが、それは裏返せば〝国際干渉〟なんです。つまり、ネオコンが気に入らない政権はいつでも倒せるという国際干渉主義のことです。オバマまではそれでやってきた。でも、トランプが「そうじゃないんだ」と言い出したから、日本は本当に混乱しているというか、「トランプは正気か?」となるんです。

つまり、言っている意味がわからない。トランプがなぜNATOは不要だと言っているかがわからないんです。

彼ははっきりと言っています。「NATOはロシアの脅威を強調するためにあるだけで、そんなものはいらない」と。もうロシアはソ連じゃないんだと言っている。ソ連と東欧の8カ国がつくったワルシャワ条約機構(東欧相互防衛援助条約機構)も1991年に解散しているんですから。

それがいまだに日本はわからない。だから、「トランプはNATO諸国との間に亀裂を引き起こした、世界を不安定化した大統領だ」なんて表層しか見ていない。

全然そうではないんですよね。「なぜおまえたちは、NATOにしがみつくのか。それは軍産複合体を肥やすだけの組織であって、NATOが存在するから、半ば永遠にロシアを敵にしておかなければいけないんだ。それはおかしい」と、トランプは言っているに過ぎないというのに。

高山 唯一NATOがやったことといえば、リビアの爆撃ぐらいですからね。カダフィをやっつけるために。

馬渕 バルカン戦争のときも酷かった。歴史的建造物でも何も考えずに破壊する。ドブロニクを含めて、あんなきれいな街を全部壊していった。そんな蛮行が〝戦後の国際協調主義〟と、我々が洗脳されている実態だったんです。

つまり、戦後の国際協調主義をトランプは壊した。まだ完全に壊れていないけれど、壊そうとしていたんですよね。繰り返しますが、日本はトランプの意図が全然わかっていない。私はトランプの選挙運動中からの演説や国連演説を読んでよくわかりましたが、彼は本当に世界を変えようとしていた。

日本ではトランプを「アメリカ・ファーストの孤立主義者」などと蔑みますが、彼は必ずアメリカ・ファーストのあとに〝各国ファースト〟と付け加えています。つまり、「どの国もアメリカのように自国民を大切にする国になれ」と言っていた。

だから、北朝鮮はけしからん、イランはけしからん、中国共産党もけしからんということになるわけです。トランプの考え方は一貫しているんです。

肝心の日本政府は、トランプ大統領と直接親しく接した安倍前首相以外はそれがわかっていないのではないか。でも、安倍さんも辞めざるを得なかったんですけれどね。せっかくトランプが救世主のごとく現れてくれて、日本にとっては自立するいいチャンスだったのに。

日本学術会議

高山　菅政権になって最初に出てきたのは日本学術会議でした。学術会議とは何か？　GHQの遺物だと。日本人はトランプ・ショックと合わせて、GHQまでさかのぼって現実を考えなければいけないところに来ていると思うんです。

たまたまだけれども、辻元清美が学術会議で任命拒否された加藤陽子のことを取り上げて、「現に政府の委員会に彼女を何度も何度も、あっちにもこっちにも使っているじゃないか」と言うと、菅首相は「ええっ？　そうでした？　知りませんでした」と。

我々が偉い学術経験者だ、先生だと思っていたのは、それは勝手な思い込みであって、学術会議はかなり腐った連中ばかりになっていたわけです。

いままでの状況を見ても、たとえば自民党が大きなミスをやったのは、船田元が衆院憲法審査会（2015年）の参考人に長谷部恭男を招いたことです。彼は朝日新聞の子飼いの真っ赤な憲法擁護者で、与党が呼んだ参考人が政府の法案を否定するという異例の事態が起こって、船田元が赤っ恥をかいてしまった。

赤っ恥以前の問題として、「ええっ？　学者、知識人はそんなに頭がいいと思っていたの？」と。そういう意味では、自民党ものすごく善意で、ちゃんとした学者ならばまともなことを言ってくれるだろうと思っているんです。どうもそういう思い込みがある。

日本人の人を信じる心、そして新聞を疑わず、学者を信じる人の好さを朝日新聞は逆手にとるわけです。心ない学者と結託して約70年間、自虐史観の嘘を振りまき続けてきた。だから、朝日新聞に出てくる学者は邪な心の持ち主と疑ってまず間違いない。

日本学術会議はＧＨＱの占領統治下であった１９４９年の設立です。戦争中に日本の学者が戦争に協力させられたとして、学術会議は政府から独立して政策提言を行う専門家組織と位置づけられているんです。つまり、ＧＨＱのお墨付き。

馬渕　そういう意味では菅さんが既得権益にメスを入れ始めたのは喜ばしいことです。日本学術会議は役に立たないどころか、日本の防衛を担う軍事研究に反対しながら、一方では外国の優秀な技術者をかき集める中国の千人計画や軍事用技術開発に喜んで手を貸して国益を毀損している反日組織ですからね。

その上、特別職の国家公務員であるにも拘わらず何かにつけて政府を非難しつつその政府から支援を受けて懐を肥やしていた。

さらに悪辣なのは日本学術振興会です。何百億円という血税を左翼学者にばらまき、その資金で反日活動を続けてきた。彼らの正体は戦後秩序を決めてきたグローバリストと同じく、戦後日本の体制を維持してきた一握りの敗戦利得者です。

少数の左翼が利権の中枢にいて科研費を配分することで自分たちの地位を死守してきた。学問の自由という自分たちだけの正義で傲慢な態度をとってきた左翼学者たちも、ディープ・ステートの悪事同様これから少しずつ明らかにされると思います。

天壌無窮の神勅

高山　つまり、そういう有識者だとか、実は本当にあてにならない。その一つの例を辻元は挙げてくれたわけです。「おまえらが凄いと思っている学者は、みんな頭の悪い、でも時流に阿る世渡り上手な連中と思っていい」と。そういう意味で辻元はいいことを言ってくれたわけです（笑）。それを我々も認識して、皇室問題ではああいうやつを有識者にしてはいけないんだ、と。学術会議問題が出たとき、私はGHQ体制のほころびを指摘する実にいい機会だと思ったんです。

馬渕　菅内閣の重大な課題、それは皇統男系を守るということですからね。いま、女性宮家云々が取りざたされるようになって、直系を崩そうとする思惑が見えます。しかも河野行政改革担当大臣は女系天皇を認める発言をしている。つまり行政改革は宮内庁を改革することまで俎上にのせることができる。まさかそこまではしないと思いますが。

日本の国体の真髄である〝天壌無窮の神勅〟、これは瓊瓊杵尊が降臨されるときに天照大御神が下された神勅ですが、〝瑞穂の国は、是、吾が子孫の王たるべき地なり〟とあります。つまり自分の直系の天皇が治らせる国だとおっしゃっている。いままで、万世一系の天皇で皇統は直系だった。どのような状況に日本が置かれてもこの男系の皇統が守られる限り日本の一体性は守られる。

もしそれがそうでなくなった場合には、この吾が子孫の王たるべき地じゃなくなるということです。将来どのような天皇陛下になるにせよ、それは高天原あるいは天照大御神とはつながらない天皇陛下になる。我々はこの点については絶対に許してはいけない。これに対して菅さんがどういう考えかまだはっきりしない。立皇嗣(りっこうし)の礼が終わったから、これから有識者会議をやるんでしょう。もう結論は決まっているんじゃないですか。

高山　もう決まっている。

馬渕　有識者会議のメンバーを見ただけで、結論は見えています。しかもそれは宮内庁も含めてそうなんだから。宮内庁の役人の中には天皇の伝統を破壊しようと企んでいる輩がいる。こんなところまで共産党員が侵入しているんです。

戦前に戻れと言うわけではないけれど、本来は我々国民が〝天皇はどうあるべきか〟と自由に議論する話ではないんです。天皇の人権を憲法でどのように規定すべきかという識者（山崎正和氏）の主張を、堂々と新聞が載せている（２０１８年1月4日付産経新聞）。昨今の週刊誌報道を見てもわかるように、気軽に天皇の地位をいじっている。そもそも、歴史的には天皇があってその下で明治憲法ができた。つまり天皇は憲法の上に存在するのです。だから、憲法で自由に天皇のあり方を規定できると考えることは本末転倒ですね。

高山　だいたい〝天皇制〟という言い方が失礼極まりない。制度ではないんだからね。

馬渕　天皇家なんですよ。本来なら天皇家が決める話が多いはずなんです。ところが戦後は、形式的には日本国民が法律で決めるとなっている。

高山　それはＧＨＱが日本国憲法の中に入れてしまったからですよね。皇室典範は上位にあって下に日本国憲法があったのに、それを一緒に入れてしまったからです。皇室典範をやめて、宮家の根切りをやって、十四宮家を三宮家にしてしまったわけでしょう？　要するに皇統を絶やそうとする悪意がＧＨＱにはもともとあった。だから、ＧＨＱ問題というのを看過してはいけないんです。

馬渕　君民一体の皇統の断絶。違った王朝、新たな王朝が生まれるということです。革命と言ってもいい。それは日本国民が天皇と新たな契約を結び直すことになる。いまの欧州の王室と同じになる。これは有史以来日本人が経験したことのないことです。

フェイクニュース

馬渕　つまり、日本はずっとGHQと、その背後にいるディープ・ステートの影響下にあって、そこから逃れられなかった。それは共和党政権であれ、民主党政権であれ、オバマまでは基本的には変わりませんでした。いちおうまともにアメリカと正面から対峙できたのは、強いて挙げれば中曽根さんと安倍さんぐらいでしょう。でも、中曽根さんも中国に肩入れしすぎたがために、結局それで足をすくわれた。

胡耀邦の歴史的評価はまだ固まっていないでしょうが、胡耀邦は中国の中では、逆の意味で進歩派というか改革派だったんです。だから、あのときは日中関係がものすごく良くなった。アメリカが嫉妬するぐらい良くなったんですよ。たぶんそれで潰されたんだと思います。

高山　でも、いくら仲良くなっても、あの国が日本にやってきたことを考えると……。戦後の日中関係の改善をリードしたのは、美土路昌一と岡崎嘉平太のコンビ。美土路が朝日新聞の社長になったときに、対中問題は岡崎に貢献させ、周恩来に〝井戸を掘った人〟と褒められて喜んでいた。朝日新聞が音頭を取ってやっていたけれど、あのころの外務省は何をやっていたんでしょう？

馬渕 対中国関係ですか？ 中国関係では何もやっていないと思います。外務省から見れば、「民間ベースで、どうぞやってください」ということだったと思います。結局、外務省の場合はアメリカの安保政策に組み込まれていましたからね。

高山 それにしても、岡崎嘉平太は本当に一方的なぐらい中国へすり寄っていった。岡崎は日銀時代に上海にいた割に中国のことを何も知らない。それなのに「日本はヒトラーと同じことを支那でやった」と。

あの、のめり込みようはすごいでしょう？ それは美土路昌一が、刎頸（ふんけい）の友とか持ち上げて彼に嘘を吹き込んだ。その美土路の次の社長が広岡知男で親中路線を深めて「中国には悪いことをしたから中国の悪口は書いてはいけない」とまで言った。それで、彼が連載をやらせたのが『中国の旅』でした。

馬渕 本多勝一ですね。

高山 それとカッパ・ブックスの神吉晴夫か。新聞、雑誌を両輪にして嘘を垂れ流した。

三光作戦などというのは、神吉が呼び込んできた嘘っぱちです。そんなことをやっているのが政界に飛び火して、日本の政治までおかしくしたのは中曽根のときだったと思う。彼の靖国譲歩が一番大きかったんじゃないのかな。日本国の深部を失うような出来事だった。

戦後、靖国だけは焼かれずに残ってきた。マッカーサーの発案であそこを焼き払えと言ったのを、上智大学のブルーノ・ビッテル神父とパトリック・バーン神父に反対されて靖国は残ったんです。ブルーノ・ビッテル神父は、ドイツ・イエズス会の日本布教部代表だった。戦後残った日本人の心の心棒を靖国がかろうじて保ってきたのを、中曽根がケチをつけた。

幼い経験でいうと小学校3年か4年、麻布小学校のときマッカーサーを見送りに行ったんです。あのときは日の丸を振らされたことを子供心に覚えている。なんでマッカーサーに、と思ったのを覚えている。

戦後しばらく日の丸すら不自由なときがありました。それがずっと心のどこかに残っていた。九段高校に通っていたので、靖国神社を毎日横切るからなおさらのことだった。だから中曽根にはいやな印象しか残っていない。あれで中国はよけいな干渉を始めてきた。つまり、朝日新聞の努力が、あのころやっと実ったんです。

馬渕　だから、潰された面はあると思います。日中が勝手にやってはいけない、と。田中角栄もそうです。日本はディープ・ステートが敷いた戦後の東アジアレジームをはみ出してはいけないという警告だったんだと思います。

それを最初にはみ出したのが田中角栄で、中曽根さんはそこまでいきませんでしたが、最後は日中を裂くような形にさせられてしまった。

基本的にはその枠をずっと乗り越えられなかったんだけれども、安倍さんが乗り越えようとはされたんだと思います。しかし、オバマのときはやはりできなかった。2015年の慰安婦合意をやらざるを得なかったとかね。あのときは私もイライラしていました。

高山 慰安婦強制連行は吉田清治と朝日新聞がつくり出したフェイクです。日本人は70年前に「日本人は侵略者だ。中国でアジアで悪いことばかりした」と刷り込まれて、もう覚醒していいころなのに、それに浸かったままウロウロしていた。そこに朝日が尤もらしい慰安婦の嘘を追加して刷り込んだ。

慰安婦の嘘がバレて朝日新聞は2014年に社長の木村伊量の首を差し出した。そのときの謝罪というか言い訳は、「取材が十分でなかった」と平気で言い抜けた。

当時の編集担当の杉浦伸之がそう書き、続けて〝90年代、ボスニア紛争での民兵による強姦事件に国際社会の注目が集まりました。戦時下での女性に対する性暴力をどう考えるかということは、いまでは国際的に女性の人権問題という文脈で捉えられています。慰安婦問題はこうした今日的なテーマにもつながるのです〟と書いている。はっきり言って詭弁もいいところだ。戦場の性は強姦を伴う民族淘汰の手段で慰安婦は単に売春婦という商売で次元が違う。なぜこんなことを引用するかというと、2021年1月19日に、ポンペオが中国新疆ウイグル自治区のウイグル族や他の少数民族に対する中国の弾圧をジェノサイド（民族大量虐殺）と認定しましたよね。

馬渕　バイデンが国務長官に指名したブリンケンも19日の上院公聴会で、ポンペオのウイグル族迫害のジェノサイド認定に同意しました。翌日、中国外務省の華春瑩（かしゅんえい）報道官が「紙くずだ」と猛反発してましたが……。

高山　そのことを朝日新聞も産経新聞も同じように記事にしているんです。どちらも内容はほとんど変わらないですし、最後のほうには華春瑩の捨て台詞を同じように載せている。

産経新聞はポンペオの声明を〝100万人以上を恣意的に投獄または過酷に拘束し、その大半を拷問にかけ、強制的に不妊手術をさせていると指摘〟と書いている。

同じ部分を朝日新聞で見ると〝100万人以上の自由を奪ったほか、強制労働を課したり信教の自由を制限したりするなどしたと指摘〟とあります。〝強制的に不妊手術をさせている〟という部分が欠落しているんです。なぜこの部分だけはしょったのか。不妊手術ということは民族淘汰、つまりウイグル人の抹殺、戦争状態にあるんだということを示唆しているんです。

中国共産党はかつて文化大革命当時に内モンゴル自治区でモンゴル人を十数万人殺害していますよね。楊海英さんが『墓標なき草原 内モンゴルにおける文化大革命・虐殺の記録』で書いているんですけれど、このときに赤ん坊がお腹にいる女性には手を突っ込んで胎児を引きずり出すとか、女性を並ばせててロープで股間を痛めつけて女性性器を破壊し、後継ぎが産めないようにするという信じがたい民族淘汰を実行した。

朝日新聞が女性の人権問題という文脈で捉えているボスニア紛争のボシュニャク人女性に対するレイプや強制出産は、売春でカネ儲けの慰安婦と違って、まさに民族淘汰のからむ戦場の性問題。セルビア軍はイスラム教徒の少女を拉致して、占領地のホテルに軟禁して兵隊たちの慰みものにした。暴力で犯して妊娠させたら、臨月まで待って村に送り返す。イスラム世界では異教徒との性交渉は罪、下手したら死罪だ。だから帰って来た娘と生まれくる子は家族の中でもコミュニティの中でも困った存在になる。そして家族の絆もコミュニティも崩れていく。まさに敵社会を分断するための目的で行われた。

当時の日本軍には相手民族を分断したり、淘汰するという意識は全くない。ましてそのために女性を破壊するという考えもない。戦時下での女性に対する性暴力とは全く事情が違う。

民族淘汰は殺害するだけではなくて、後継ぎが産めないようにすることもひとつの形です。それをいま中国共産党がウイグル族に対してやっている。強制的に不妊手術をすることは、暴力を使うか否かに関わらず極めて悪質な戦場の性というか、民族淘汰に関わる暴力行為にほかならない。

朝日新聞は〝強制的に不妊手術をさせている〟というポンペオの言葉をあえて削除して、単に強制労働を課したり、宗教の自由を制限したりという人道に触れるか触れないかの辺りで誤魔化している。

今日的な問題として戦時下での女性に対する性暴力を追求していくなら、朝日新聞は中国共産党がまさにいまウイグル自治区でやってることを大々的に1面トップでやるのが筋だと思うんです。

馬渕　慰安婦合意の少し前、明治日本の産業革命遺産のユネスコ世界遺産登録のときにも韓国人労働者が強制的に働かされたことを韓国に認めさせられたのです。これは当時の岸田文雄外務大臣のミスです。韓国の外相にいいようにやられた。あるいは外務事務当局はそれでよしと自虐的に考えていたのかもしれないですが。実にひどい話です。私はまだ東京裁判史観に縛られている外務省の態度に改めてショックを受けました。

高山 ユネスコにこれを申請するときに、韓国が「端島（はしま）（軍艦島）には多数の朝鮮人をその意志に反して連れてきて強制労働させた」という一節を何としても入れろと騒いで、日本側が妥協した。それにはなんの根拠もない、言ってみれば韓国のねつ造した反日プロパガンダですよ。『地獄島』というタイトルの映画まで作って嘘を拡散していた。

彼らは自分たちの歴史を知ってるのだろうか。産業革命遺産の対象時期は1850年代から1910年、彼らと一切関わりのない時代にでき上がっている。つまり明治日本の産業革命遺産に嘴（くちばし）を挟む余地などないわけです。

韓国はユネスコの諮問機関の国際記念物遺跡会議の審査員に、登録反対を求める資料を配り、登録勧告が出たあとも事実無根の反論冊子を委員国にばらまいた。さらに、市民団体と連携して登録阻止を働きかけた。で、当時の日本のユネスコ大使が友好が第一だと譲歩した。だから日本人の底力と努力を誇らしく展示した東京・新宿の『産業遺産情報センター（総務省第2庁舎別館）』の中にわざわざその辺の誤解を解けるよう余計なコーナーまで置くようにした。それは韓国の主張に根拠がないどころか、当時の三菱では社長が出身地に応じた待遇差をつけてはならないと通達していたこと、官営八幡製鉄所では戦後帰国する朝鮮半島出身者に徴用解除金や慰労金、貯金、帰りの旅費も渡していたことも展示されています。

それを公開したら、韓国外務省が「施設の展示に日本が約束した強制労働の犠牲者等を偲ぶための後続措置が全くなされていないことに注意する。歴史的事実を完全に歪曲した内容が含まれ甚だしく遺憾である」なんて言ってきた。

韓国が主張する強制労働の事実は一切ないと、産業遺産情報センターで反論しているところがいいですね。産業遺産国民会議・専務理事の加藤康子さんは肝の据わった方です。

馬渕　頑張ってほしいですね。読者のみなさんには、機会があれば産業遺産情報センターに見学に行っていただきたいと思います。

家族の解体

馬渕　夫婦別姓の選択を自民党もやり出しました。これはたいへんなことです。選択的な夫婦別姓は、子供の姓をどうするかで破綻するんです。父親にするのなら韓国、中国と一緒になってしまいます。逆に女性差別になるんです。

高山　夫婦別姓の大元は氏族主義の中国ですが、日本はそんなことを言わずにごく合理的にやってきた。それをいま夫婦別姓で中国みたいにやろうと言っている。その中国自体がいまは旦那の姓を奥さんが名乗るようにして、一つの姓にしています。少なくとも陳さんの家では、陳さんの奥さんですということを明示するようになってきた。

たとえばかつてWHOのトップになったマーガレット・チャン（馮富珍）は、旦那の姓を自分の姓に付け加えて、〝陳馮富珍〟と名乗っている。サンフランシスコで抗日記念館を作って反日デマを飛ばしているフローレンス・ファンも方李邦琴です。中国がいいとか、別姓がいいとか言うのは、いま論議として破綻している。中国が何でもいいってもんじゃない。

馬渕　なぜ自民党が推進しているのか……。

高山　意味がわからないですよ。

馬渕　でも、それは自民党にとってはマイナスに働いても……プラスにはならない。自民党がリベラルに舵を切ったら、必ず選挙は負けるんですよね。

高山　もう十分舵を切っていますよね。十分切っているのに、まだ屋上屋を架そうとしているんだ。

馬渕　穿った見方をする人は、小室圭さんと眞子様が結婚したら眞子様がどういう姓になるかわかりませんが、それも踏まえたものだとかいろいろなことを言っている。しかし、夫婦別姓をやらなければいけない必然性は何もない。現在は、あらゆる役所も民間会社もそうですが、名刺などを含め旧姓で仕事ができるようになっている。だから、実質上、そういう意味でのテクニカルな不便さはないんです。

高山　それが大きなムーブメントにならないだけ、日本人は賢いと思う。

馬渕　家族は基本的な社会単位だというのが、なんとなく本能的にわかっているんだと思います。それを潰したら個人がアトム化してばらばらな存在になってしまって、支配層の言うことはなんでも聞かざるを得なくなる。

高山　日本では本来は大家族というか、祖父母までは同居するのが当たり前だった。それを産児制限と中絶認可で子供を減らし、団地住まいの2DKにしてしまったんです。すべてはGHQです。公団住宅を最初に見たときは、吉見百穴を思い出した（笑）。岩に穴を空けて、穴居住宅ですよね。団地はそう見えるじゃないですか。なぜここまで先祖返りしなければいけないのか。

馬渕　高山さんがおっしゃるようにGHQの意図的な政策です。彼らが勝手に主張しているだけですが、家族制度が軍国主義の温床になったからだと。だから、家族制度を潰せばいいんだということです。

高山　そしてベアテ・シロタ・ゴードンが「日本の女性の地位は低すぎる」と、偉そうにマッカーサー憲法に書き込んだ。

馬渕　20歳ちょっとで日本にのこのこ来て、憲法24条を書いたというんでしょう？

高山　ピアニストの父と共に欧州から日本に逃げてきて、16歳まで日本にいたんです。米国に留学している間に日米戦争が始まった。終戦の年の暮れにGHQの要員として日本に戻ったんです。自分の属するユダヤ人社会が強い女性蔑視をやってきたことも知ろうともせずに、日本の女性が抑圧されているなんてよく書けたものだ。

馬渕　そういうフィクションをつくり上げてまで、日本の家族制度を潰したかったんですよね。憲法24条に〝婚姻は両性の合意のみに基づいて〟と書いてあるけれど、そんなことは別に憲法に書かなくてもいい。ＬＧＢＴＱのムーブメントが盛んになってきたいまとなっては、憲法に〝両性〟と書いてあることが争点になっていますが。

アメリカにおける憲法と日本の憲法は成り立ちが全然違うんですよね。日本は国があって憲法ができたというか、明治憲法はいやいやながらつくったわけですから。日本は国が先にあったんです。憲法なんていうのは、そういう意味では広い意味での国体の一部に過ぎないんですね。日本は契約国家ではなくて、信用国家ですから。

高山　それがいまは立憲主義という言葉が出てきて、「ええっ？」と。だいたい憲法というのは聖徳太子のときの『十七条の憲法』が先にあるんだから。そのときに立憲主義なんて言っていない。あれはいかにみんなが努力するかということだけを言っているんですよね。「和を以て貴しとなす」と。あんないい憲法があるのにね。それと『五箇条の御誓文』。それだけがあれば、あとは諸般の各部局でやればいいんです。

五箇条の御誓文は素晴らしいですよね。上下心を一にして、よく勉強しなさいと書いてあるものね。

『五箇条の御誓文』

一　廣ク會議ヲ興シ萬機公論ニ決スベシ

一　上下心ヲ一ニシテ盛ニ經綸ヲ行フベシ

一　官武一途庶民ニ至ル迄各其志ヲ遂ゲ人心ヲシテ倦マザラシメン事ヲ要ス

一　舊來ノ陋習ヲ破リ天地ノ公道ニ基クベシ

一　智識ヲ世界ニ求メ大ニ皇基ヲ振起スベシ

馬渕　教育勅語にも同じことが書いてあるんです。五箇条の御誓文をもう少し膨らませたというか。

高山　明治時代を見ていると全部、五箇条の御誓文をどうやっていくかなんですよね。〝上下心を一にして〟というのは、日清戦争のときにきれいにでき上がっている。

馬渕　おっしゃる通りです。それがいまのコロナ対策にも結果的には表れているんですよ。法律がなくても、行政指導にみんな従っている。こんな国はないですよ。

ご承知のように、ほかの国は法律があっても守らないんだから。そういう点では、日本は法律で強制しなくても、お上に国民はちゃんと従う。だから、いまおっしゃったように十七条の憲法と五箇条の御誓文があれば、あとは国民がちゃんとやっているんです。

高山　日本の場合は、お上というよりお天道様ですよね。

馬渕　お天道様です。

高山　お天道様に恥ずかしくないことをしろというのが、日本人の形だった。その形を壊したのが朝日新聞なんですよ。2005年に『ジェイコム株大量誤発注事件』というのがあった。新規上場したジェイコム（現ライク）の株式取引で、みずほ証券の男性担当者が〝61万円1株売り〟とすべき注文を〝1円61万株売り〟と誤ってコンピュータに入力してしまった。すぐにストップをかけたんだけど、バグがあってシステムが受け付けなかった。その発注ミスによって、みずほ証券は巨額の損害を出してしまうんです。

当時の金融担当大臣の与謝野馨が「他人のミスにつけ込んで儲けようとするのは美しい話ではない」と言った。ロクでもない個人投資家は別として、大手や中堅の証券会社は忸怩たるものがあったから自主的に利益を返還する流れになった。まあ、日本人ならそうするよねって話だけれど、朝日新聞は「違法でないから」と社説で書いた。びっくりしましたよ、どこの国の新聞だって。

悪人仕立て

馬渕　第二次世界大戦がどうして起きたのかということにずっと関心があるんですが、例えばチェコスロバキア共和国は1920年に独立しました。第一次世界大戦後のパリ講和会議で、ウッドロウ・ウィルソンが提唱した民族自決で承認された国の一つです。

民族自決と言いつつもチェコスロバキアは多民族国家でした。チェコ人が最も多かったけれど、スロバキア人、ドイツ人、ユダヤ人、ハンガリー人、ポーランド人などで構成されていました。そうなると、国内の紛争が絶えない。一番犠牲になったのは国内で二番目に多かったドイツ人、いわゆるズデーテン問題です。だからヒトラーはズデーテンを併合したんです。その種をまいたのはウィルソンです。民族自決とは嘘ばかりで、旧ドイツ帝国とオーストリア＝ハンガリー帝国の少数民族に対して独立させた。単一民族国家ではなくて、多民族国家にして紛争の種をまいておいた。第二次世界大戦もディープ・ステートによって周到に仕組まれた戦争だったということです。それがわかると困る。だからアドルフ・ヒトラーを巨悪に仕立てる必要があった。もちろんヒトラーも戦争指導で致命的誤りを犯すなど、良くないことをしているんですけれどね。常識で考えればわかるんですが、なぜ世界に先駆けて高速道路網のアウトバーンなんてものができたのか、フォルクスワーゲンという国民車がつくれたのか。それはヒトラーがジャーマン・ファーストで真面目にやったからです。当時のワイマール共和国は政府や各種機関の要路は人口の1％（60万人）でしかないユダヤ系に占められ、人口の9割9分（6000万人）を占めるドイツ人が不遇だった。ヒトラーはドイツ人のための政治をやるということで、政権をとった。すると、とった日から、世界的にドイツ製品ボイコットなどの反ヒトラーの運動が始まるんです。

トランプも大統領になったときから、正確には当選する前から、まだ何もやっていないときから反トランプ現象が起きた。トランプをヒトラーと比較したらかわいそうですが、現象としては似ているんです。これから心配なのは、ヒトラーと同じように、トランプを極悪人に仕立てるキャンペーンが始まりつつあることです。

高山　ドイツと同じく、日本も巨悪にしようとしたのがGHQ史観。まず最初にこれをひっくり返さないと、日本人は意味がわからない。「なんで俺たちは悪だ、悪だって言われているんだ?」ってね。ナチス・ドイツと一緒だと。韓国人までそんなこと言い出してね。

馬渕　彼らのほうが加害者だったんだけれど、逆転させて日本が加害者で中国人、韓国人はみんな被害者だと。ニュルンベルク裁判と同じですよね、東京裁判も。それがGHQの政策だった。そうしておかないと、ほんとうの巨悪が誰なのかわかってしまう。マッカーサーは踊らされていただけですよ。

高山　インドネシアのスマトラ島南部にあるパレンバン。第二次世界大戦初期に日本が落下傘部隊降下作戦で連合軍の製油所を制圧したところで、ムシ川という川の上流にある。そのムシ川に大きな橋がかかっているんです。

可動式の垂直リフト橋で日本がつくった橋です。ODAじゃなくて戦争賠償金でつくった。名前はアンペラ橋。通訳に「アンペラってどういう意味？」って聞いても答えないんですよ。宿に戻ってきて地元のインドネシア人に意味を聞いても言わない。で、ガイドにもう一度、脅しをかけて問うたら〝虐げし者の償いの橋〟という意味だと。要するに、日本がインドネシアを侵略し略奪したその償いだと。「嘘だろ、それはオランダだろ？」って驚いて。日本が解放したことになっていないんですよ。

ジャカルタの独立記念塔の下にジオラマがあって、最初にオランダの船が来てというところから始まって、オランダの悪口はひとこともなくて、「日本軍が来た、彼らは我々の労働力と資源を略奪した」と説明文に書いてある。最後は「日本軍をマランとバンドンでやっつけて独立した」で終わっている。日本軍は侵略者で労働力と資源を略奪したことになっている。びっくりして外務省に聞いたんですが、彼らは橋の名の意味さえ知らなかった。「日本は侵略者ではない」とインドネシアが言えば世界を握る白人国家から貿易や外交で虐待される。だから白人国家の指導に従わないといけない。これは、その後で駐日インドネシア大使に聞いた話です。「我々は事実を認めると苦境に立ってしまう。白人国家の言うこと聞いて〝日本は侵略者です〟って言うと、日本は賠償金も出してくれて橋も架けてくれる、金もくれる」と。

　歴史学者のアーノルド・J・トインビーは「アジア・アフリカを２００年の長きにわたって支配してきた西洋人は、あたかも神のような存在だと信じられてきたが、日本人は実際にはそうでなかったことを、人類の面前で証明した。これはまさに歴史的な偉業であった。……日本は白人のアジア侵略を止めるどころか、帝国主義、植民地主義、人種差別に終止符を打ってしまったのである」と言っている。

　ピーター・ドウスは「日本人は白人の奴隷にされる脅威を排除して『白人の優越』を覆した。そのスケールは平民を解放したフランス革命より、労働者を解放したロシア革命より遙かに壮大な人類史上の大革命だった」と評価している。
〝侵略者というのはつくられたものだ〟ということを世界にわからせて、自分たちは第二次世界大戦を再評価して今を考える。それが日本人が目覚めていく道筋だと思う。

馬渕 ドイツも被害者だけれど加害者にされた。日本もそう。原爆投下は最たるもので、加害者はアメリカ。ハーバート・フーヴァー（第31代大統領）が著書『Freedom Betrayed』で「原爆投下はアメリカが永遠に担う十字架になった」と書いているように、アメリカ人の良心を永遠にさいなむことなんです。言わば日本に対するホロコーストですから。それをやったからには、日本がその仕置きに値する悪者だったから……ということにしないと生きていけない。だからずっとそうしてきた。

高山 まさにそうですよね。日本人はバイデンが言ったあのセリフ、「日本が核保有国にならないように我々が日本国憲法を書いたことを彼（トランプ）は知らないのか」を、きちんと解釈しないといけない。

馬渕 おっしゃる通りです。それを、揉み手するかのごとく「尖閣は安保の適応範囲になりますよね？」と、バイデンに確認を求めるような卑屈な態度ではいけません。

陰謀論と歴史修正主義

高山　〝陰謀論〟という言葉がある。それが今度の米大統領選で多くの人が何となく理解したように思います。ようは、〝彼らのスキームを知っているか、知らないか〟ということ。〝陰謀〟って表現すると言葉がおかしくなってしまう。

馬渕　陰謀論というのはディープ・ステートの取り巻きがつくり出した言葉なんですよね。言論を抑えるために。ちょっと触れた瞬間に「陰謀論だ」と言って議論をシャットアウトする。つまり、レッテル貼りですよね。いままでそれで抑えてきたんだけれど、今回は抑えきれなくて陰謀を働いている連中が沼から出てきてしまった。

もう一つのレッテル貼りが〝歴史修正主義者〟。リビジョニストですね。これも陰謀論と同じく、彼らによるもの。それは、彼らが書いてきた歴史が否定されることになるからです。だから事前に抑える。芽が出たとたんに摘まなきゃいけない。リビジョニストだという汚名を着せて潰す。でも、もうそれはできなくなると思います。

高山 フェイクがまかり通らないように、日本人は覚醒しないと。

馬渕 高山さんにはこれまで以上に担っていただく必要があると思いますよ。これは日本人が家畜になるかどうかの分かれ目なんですから。

高山 もう半分家畜にされてる……。

馬渕 されてます。

高山 ですよね。相変わらず韓国、中国の嘘に振り回されて罵られながらカネまで出してきた。信じられないですよ、本当に。

馬渕 もっと日本の司令塔が、しっかりしてくれたら……。

高山 前はね、上に総司令官というのがいたんですよ。ダグラス・マッカーサーという(笑)。それを使って日本政府をコントロールして、憲法まで書き換えて、日本人の思想も変えようとした。その置き土産を日本のメディアがいまも忠実になぞっている。マッカーサーがいなくなって「司令官はいま誰か」って言ったら、朝日新聞は「俺だ!」と思っているわけです、本当に。で、中国とどうやって交渉するかとかね。

『The New York Times International Weekly(ニューヨーク・タイムズ・インターナショナル・ウイークリー)』っていうのが朝日新聞から出ているんだけれど、例の1月6日の議事堂の乱入を、1面から2面、3面、中面に写真つきで掲載している。「こりゃあ、森友のときの紙面だ！　そっくり同じだ」って。〝テロ行為だ！〟ってやるのにもう何ページも使っている。こういう紙面展開は朝日を見習ったのかと一瞬思ったんですよ。

それはニューヨーク・タイムズが自分をアメリカの影の権力者だと思っているのと同じ。日本は朝日新聞が「こうやって日本を指導していかなければならない」と思っているということです。

今度、朝日新聞は170億円の赤字が出て、倒産が見えてきた。なおさら悲壮な思いで「打ちてし止まん！」と思っているんじゃないのかな。「GHQへの最後のご奉公を！」なんてね。

馬渕　部数も減っていますよね。

高山　300万を維持できないんじゃないかな。赤い中日新聞の子会社の東京新聞サイズになってね。朝日だったらどこだろうな。道新か西日本新聞の子会社になって細々と。

馬渕　道新が中共べったりになって、北海道の土地が買われて……。

高山　そういう化けの皮がだんだん剝がれて。「朝日の言ってることおかしい」って、購読者が思い始めたからあんな赤字が出てきたのでしょう。

馬渕　沖縄のあの2紙（琉球新報、沖縄タイムス）も現状を歪めてしまって、沖縄も変なことになってしまっていますよね。沖縄も北海道も、結局メディアが地方の世論を誘導して、歪めてしまうという構図が見えてきますよね。

もちろん本州だって名だたる五大紙が洗脳しているとはいえ、地方の場合は他に情報源が少ないから、効果が高いわけです。いままでそういうことが起こってきて、これからもさらに加速する。

高山 だから、唯一日本人を覚醒させられる可能性があるのが、週刊誌でいうと新潮、新聞だったら産経新聞だろうなと思っていた。だから今回の米大統領選を報じた産経の黒瀬悦成の原稿はショックだった。

でも、少なくとも、宮本雅史が中国の北海道侵略を書いている。沖縄にも川瀬記者が行っていい仕事しているし、古森義久も書いている。

馬渕 地上波でもテレビ東京が、ちょっと違ったニュースを出そうとしているじゃないですか。だから、1社でいいんです。新聞は産経新聞、地上波はテレビ東京、何か違うことをやれば一気にいきますよ。

高山 産経新聞の議事堂の乱入の記事の写真を見ると、議事堂の建物の下が真っ赤に燃えているんです。長時間露出で下の光を強調してまるで燃えているように。ＡＰかロイターなんですけれど、1面ですよ。「なんだよコレ、アジってんのか」って。で、めくったら黒瀬の記事。ひとりの記者がやっているのがいけない。また古森に書かせるとか。それからいままで執筆していた連中にどんどんやらせるべきですよ。それから渡辺惣樹にも書かせる。

馬渕　期待したいところです。

高山　馬渕さん、『正論』の執筆メンバーに入らないんですか？

馬渕　全然お声がかからないです（笑）。正確には、数年前のウクライナ危機の時、執筆依頼がありましたが、「ウクライナ危機はネオコンが仕組んだクーデター」との趣旨を書いたら、没になりました。小島編集長と談判した結果最終的には載りましたが、以降危険視されたのか音沙汰なしです。

高山　ええ？

馬渕　私は産経新聞にとっては陰謀論者なんですよ（笑）。以前に『正論』の中で私は批判されているんです。岩田温さんが書いたのかな？　数年前に。親しい学者の方々から反論したらって言われましたが、論争する気はないです。

高山　田北真樹子さんは知っているでしょ？

馬渕　知ってますよ。ロシアについてブリーフしたことがあります。

高山 今度、雑誌『正論』の編集長だから、大丈夫。

馬渕 出せないんでしょう、私は。産経新聞ですら。

高山 こういう話をどんどん表に出さないといけませんね。

馬渕 日本人はこれから目覚めなければいけないのに。メディアはよってたかって日本人が覚醒するのを潰そうとしているんですよね。

高山 潰しておけば、利用価値があるんですよ。日本政府から好きにカネがとれるしね。

馬渕 私は……高山さんもそうだけれど、金儲けのためにやっているわけじゃないから大丈夫だけれど。そうじゃない現役の人は生きるか死ぬかの問題だから、妥協せざるを得なくなるんですよ。だから私は、若い人でプロのジャーナリストの人には、半分同情しています。でもどこまで真実追求にこだわるか。そこが結局、本当のプロになれるかどうかの分かれ目なんですよね。私は人生の分かれ目だと思っています。

高山 ネットメディアだと『チャンネル桜』、『未来ネット』。

馬渕 ネットで個人発信されているジャーナリストの方ですと、篠原常一郎さんが頑張っておられますね。客観的に見ておられる。

高山 そうですね。それから門田隆将さん。いまは標的にされて新聞からネットまで左側の人間の総攻撃を受けています。そして、文化人放送局の加藤清隆さんもいる。

馬渕　篠原さんはときどき妨害を受けているようです。未来ネットはまだですが、以前私の発言に圧力をかけてきた輩が複数います。そういう時代なんです。

第四章

日本が覚醒する日

トランプの退任演説

馬渕　トランプのフェアウェルスピーチは歴史に残る名演説だったと思っているんです。彼が４年間どういう気持ちでアメリカを率いていたか、そしてその哲学が如実に表れていた内容でした。

　彼はもともとビジネスマンで政治の素人だったわけですが、なぜ大統領を目指したのか。それは自分をここまで育ててくれた国家にお返しをしたいという強い思いだったんです。

高山　民主党側は大統領候補にロクでもない連中しか出せないけれど、アメリカには職業政治家ではなく、国への恩返しの気持ちで政治家になる人物が本当にいるんですよね。

　ハーバート・フーヴァー（第31代大統領）しかり、アメリカ合衆国改革党を結成したロス・ペロー、それに年俸を1ドルにしたリチャード・リオーダン（元ロサンゼルス市長）、そして、ドナルド・トランプ。

馬渕　そうなんです。右でも左でもない、あるいは共和党でも民主党でもない、アメリカの善のために自分は働いてきたと。それがまさに市民に奉仕するという原則なんだということが伝わるスピーチでした。実際トランプの政策を振り返ればその効果が実感できます。残念ながらそれがアメリカのメディアと民主党によって歪められ、いかにもアメリカを分断する政策を行ってきたように貶(おとし)められ曲解されましたが。

高山 自身の給与をすべて寄附に回していますしね。金になびかない。民主党も中国共産党も、チャイナマネーがまったく通じないトランプは怖くてしょうがないんですよ。

馬渕 たとえばトランプ大統領がメキシコとの国境に壁を築いたことの是非。メディアはこれを正面から客観的に論じることはできなかった。なぜかと言うとトランプの意図が正しかったからです。つまり不法移民によってアメリカの国民の賃金が下げられ、犯罪が増え、その中には人身売買まで含まれている。

国境管理を強めることによってその被害を少なくするという議論には誰も反対できない。だから、移民差別や人種差別という論点を持ってきた。問題の本質ではないのは明白ですが、支持者が誤解を恐れて反論しづらいからです。

いわゆるポリティカル・コレクトネス。その言葉を使ってトランプを最初から最後まで誹謗中傷し続けてきた。

高山　日本のメディアはこの演説も自画自賛としか言わない。壁のことだって、トランプはズルズルの国境管理にきちんとけじめをつけただけですよ。

馬渕　私がもっとも心打たれたのは、「大統領としてあえて困難な道を選んだ」という言葉。清濁併せ呑む、それは政治の技術としては必要なことかもしれませんが、しかし自分の信念に忠実であろうとすれば、やはりそれは通用しない。だからあえて困難な道を選ぶ。妥協の道はあったと思います。でも彼はそれを潔しとしなかった。これはそういう気持ちで行動した人以外には言える言葉ではない。

適当にうまくやって裏で手を握って自分の政治生命を長らえるようなことはせず、自分の信念に忠実であった。だからこそ、その信念が支持者に伝わり2期目を迎える大統領選挙でこれだけの票を集めた。

ディープ・ステートとの妥協の道はあったと思います。でも、簡単な道を選ばなかった。この信念がこれからの世界に、人々に大きな影響を与えると私は確信しています。

2019年の国連演説で、彼は世界に向かって「各国の指導者は国民を宝とせよ」と呼びかけました。

これは日本人なら、すぐに腑に落ちると思います。国民は大御宝であると常々おっしゃってるのが天皇陛下なのですから。だからこそ私たちは何を強要されるわけでもなく天皇陛下を敬っている。これは理屈ではないし、政治の原則とか政治の理論の問題でもない。感覚、感性の領域です。私たちはそういう国に生きてきたということをもう一度思い返す必要があると思います。

高山　いまアメリカで起きていること、それは少なからず日本で起きていることでもあるんですよね。海を越えた遠くの話ではない。日本という特別に美しい国に生きていること、そこが壊されようとしていることに気づかないと。

馬渕　私はトランプの退任スピーチを最初はネットで聴いたんですが、あらためて原文を手に入れてじっくり読んでみました。このスピーチには、我々日本人にとっても重要なメッセージが込められています。彼がアメリカのピープルのために対峙したさまざまな事象は、高山さんがおっしゃるように、いま日本でも起きていること。彼のメッセージは日本人が目覚めて進んでいくための激励に満ちています。

トランプは沿道の支持者の人々がアメリカの小旗を振りながら、自分に対してサポートの気持ちを表現してくれることに対して喜びつつも、これは自分に対する声援だけではない。アメリカという国家に対する愛の表れで、アメリカを守ってくれという激励でもあると受け取ったと。

彼がもう一つ強調しているのは、アメリカの歴史、価値観が尊重されなければならないということ。そういう精神があってこそ国は強くなれると言っている。

日本なら日本という歴史を尊重し敬意を払い、日本の価値を大切にし、そしてそこから生まれた日本の文化を守り育てていくということ。それこそが日本を守り、日本を繁栄させることになる。つまり、逆に言えば歴史を否定したり伝統的な価値を否定したり、ないがしろにしたりすることは国家存続の危機につながるということ。日本を繁栄させるのは世界に合わせて標準化することではないのです。

トランプもアメリカの危機はそこにあるということを強調しています。アメリカにとっての最大の危機は何か？　それはアメリカ人が自分自身への信頼を喪失すること。それは同時に国家の偉大さ、信頼の欠如になる、と。

この言葉を理解するかどうかで、今後の日本の将来は決まってくると強く思いました。いま日本でも歴史を否定する動きが数多くあります。特に戦前の歴史を否定する。それでは決して日本は繁栄しない。

親中にも程がある

高山 政府にもう少し兆候がわかる人材がいればいいんだけれど、日本は安倍政権でなくなったとたんにＲＣＥＰ（東アジア地域包括的経済連携）を承認してしまった。あれはトランプがやったことを全部ワヤにしてしまおうとも捉えられる。少なくとも日本人は歴史修正主義だとかなんだとかとさんざん責められながらも、けっこうまだまともな判断をやっているわけじゃないですか。今度のＲＣＥＰを見ても、大方の人間は「えっ？　中国？」と思ったはずですしね。

朝日新聞は1面、2面、3面を使って万歳、万歳！　で、これで米中の間を日本が取り持てるなどと書いていて。「何言ってるんだ、おまえは？」みたいなばかな話をしているんだけれども。要するに安倍政権の時代とは打って変わった。

馬渕 完全に変わっています。

高山 早すぎるんじゃないかと。

馬渕　いま菅政権の中枢に外務省の人間が誰もいないんですよ。補佐官にもいないでしょう？　秘書官が一人いるだけですが、秘書官は力がないですからね。国家安全保障局の北村滋局長は警察庁です。別に悪い人ではないかもしれませんが、こう言っては悪いけれど、警察行政はよく知っていても国際情勢をどれだけ理解しておられるのか疑問です。

二階俊博が訪中するときに当時の国家安全保障局長だった谷内正太郎も加わって作成した総理の親書を持っていったんですが、その中のＡＩＩＢ（Asian Infrastructure Investment Bank）と一帯一路についての部分を、同行した今井補佐官が日本が関心を持っているかのように勝手に書き換えてしまったと聞いています。そのことに谷内局長は怒って、「もう辞める」と言ったと。その後暫くして彼は退任しましたが、外務省から後任が行っていないんです。だから、国家安全保障会議という安保問題の司令塔に外務省出身の局長がいない現状が、今日の安保政策の混乱を招いているのではないか。

高山　なぜ親中派がそんなにのさばるのか。菅になった瞬間に、さらにそちらの方向に振っている感じがします。

馬渕　それは想像されたことです。菅さんがいろいろなことを言っているけれど、官房長官時代にやってきたことを見ればわかります。実に親中派ですよね。しかも彼には確固とした国家観が無いから、単に親中で終わらない。これからずるずると中国の自治区になってもおかしくないぐらいの感じになる危険がありますよ。

高山　ただ、私は日本人がまだまともだと言いたいのは、日中世論調査をやったら、日本人は中国嫌いが89％だった。この89％というのは過去にない数字です。香港や台湾の問題もあるけれど、日本人はある程度わかっているんじゃないかな。

馬渕　日本人の中国嫌いはそうだとしても、中国共産党を甘く見ることは危険です。尖閣には手を出さないだろうとか、経済関係をちゃんとやれば中国は何もしないだろう、大したことはやれないだろうという認識では甘い。尖閣ですめば御の字で、それどころではなく、もっと来ますよ。次は沖縄で、その次は北海道で、それはとどまることがない。問題は日中関係の次元だけでは考えられないこと。それこそアメリカがどうするかです。

高山　ロシアもどうするか。

馬渕　おっしゃる通りです。

高山　中国は台湾の上に飛行機を飛ばすぞと言って脅しています。台湾のほうはそれを防ぐだけの力がなくて、中国が来たらほとんど抵抗もなく消されそうです。ただ、問題は台湾に隣接して与那国島があり、与那国からは台湾が見えます。

馬渕　私も防衛大学校で教官をしていたときに与那国島を視察したことがありますが、台湾が薄っすらと見えましたね。

高山　そんなところに日本領がある。日本領があるということは、沖縄の米軍はそこに関与できる。台湾を実際に取ろうとするやり方はいろいろあるだろうけれど、まずはテレビから通信網から全部切って、情報断絶にした状態で、大部隊が襲う。

とはいえ、それをやるにしても与那国、石垣、沖縄はあまりにも近すぎる。台湾をやるにはまず至近距離の与那国から沖縄以南を制圧しなければならない。米軍をとにかくグアムまで追い返すよう仕向けねばならない。

ということは台湾侵攻の前にまず尖閣があって米国に〝日本に巻き込まれ論〟を流してグアムに追い返してという手順になるでしょう。ただ尖閣は、仮にあそこを中国人が「取ったぞ」と言って200人行ったとして、200人は何を食って生きていくのか。そのために水も食料も補給しなければならない。中国船があそこに通わざるを得なくなる。

さすがに上陸したような状態になれば、日本も出ていき、少なくとも海上封鎖になる。だから、尖閣を取る取らないという問題は、中国はそこだけ取って終わりとは考えていない。台湾を取るときにすぐそばにいる軍事力を持った部分をいかに抑えるかが問題だというわけです。これは防衛省の中でもすでに既定路線として入っているそうです。台湾を侵攻する前に周辺処理をするという意味で、与那国をはじめ沖縄本島以南をどう守るかというのを防衛省はいまけっこう本気で考えています。

馬渕　米中が正面から対立するということからシミュレーションすればそうなりますよね。

高山　これは個人的な考察ですが、中国の主席ぐらいになれば、歴史に名前を残したい、と。歴史に名前を残すのに、かつてフビライが試み、ニコライ2世が試み、清王朝が試み、スターリンも試みた、この日本弧を突破して太平洋に出るという夢があったが、みんな失敗した。それは中国、ロシアにとって最大の夢です。ここで習近平が台湾も取った、宮古海峡周辺まで全部取ったとなれば、歴史に名を残すことになる。ニコライ2世よりも、フビライよりも偉くなる。習近平が追い詰められたら、そういうことも考えるんじゃないかと。

馬渕　そういう意味では、バイデンというよりもディープ・ステートが台湾をどう考えるかというのは、中国共産党に対する全体的な姿勢の関数でしょうからね。ディープ・ステートが中国共産党の覇権を認めないことははっきりしています。その先はなかなか読めませんが、適当なところで中国共産党に対して「俺の世界覇権に挑戦しないのなら、おまえがジュニア・パートナーでやるのは認める」というところになるかどうか。

高山　なるほど。戦前、日本が世界に進出したときとまさに同じ状況と見ることもできそうです。かつてアメリカにとって脅威としての日本があって、いま脅威として中国があるというのは同じパターンです。

もちろん手段はまったく違います。中国はアンフェアな手段で出てきて、なおかつ、蚕食（さんしょく）している。中国の触手を放置するというのは……。少なくとも白人支配というか、ルーズベルトが考えていたことと同じなのだから、ルーズベルトが隔離宣言をしたのとまったく同じ意識を彼らが持っていないとは言い切れないと思うんです。

馬渕　それは持っているでしょうね。若干敷衍（ふえん）すれば、中国共産党の覇権は認めないということは、トランプだけでなくてディープ・ステートもはっきりしています。

しかし、その中国をどの程度で許すというか、1を10にさせるかというのは変だけれど、そこがトランプとディープ・ステートは違っている。ディープ・ステートは自分が儲けられて、自分の利害を侵害しない限りは、中国共産党に少しぐらい行動の自由を認めてもいいという戦略をとる可能性がある。そうなると、中国共産党が日本を欲しければ一部はやってもいいぐらいになる危険があります。日本はいまのようにアメリカと中国の両方を見てどっちがどっちとやっていたのではだめなんです。いずれにしてもアメリカに対してディープ・ステートも含めて、日本というものの魅力というか、アメリカが日本を失ったらものすごく損する、というのを念押ししなければいけない。

楽観的に考えれば、ディープ・ステートにとって日本は金のなる木だから、それをみすみす中国共産党に差し上げるみたいなばかなことはやるはずがないんです。ただ、中国共産党に沖縄ぐらいまではやって、その代わり残りは手を出すなというようなディールをやられることも、可能性としては考えておかなければいけない。

トランプのときには、それはまったく不要だったんです。彼は「日本はジャパン・ファーストで、真の意味で独立しろ」と言っていたわけですからね。

高山　逆に、バイデンは「何をやっているんだ。なんで靖国に行くんだ。靖国に行くな。俺たちがつくった憲法じゃないか」と言っている男ですしね。

表面的に起きたことを見ても、2013年11月に日本領の尖閣の上に防空識別圏を置くと中国が言い出したとき、普通は止めるのに、バイデンは中国に出かけていって、オーケーして金までもらってきている。そして、当時の安倍首相が靖国神社を参拝すると「行くなって言っただろう」と不快感を示す。なぜ副大統領ふぜいが偉そうに日本の首相の行動に嘴をはさむのか。

中国がものすごい野心を持っていることがだんだんわかってきて、南シナ海を埋め立てているのに、オバマは何もしなかった。2014年末ぐらいから海軍は自由の航行作戦をやると言っていたのに、オバマは許可しなかった。それがようやくかなったのが、2015年の9月です。

馬渕 2015年の初めぐらいに『フォーリン・アフェアーズ』に論文が出たんです。いままでの中国寛容政策は誤りだと。

高山 マイケル・ピルズベリーの？

馬渕 そうです。それから変わっていったんです。

高山 2015年こそが、アメリカの対中政策の分岐点か。

馬渕 対中政策はアメリカが戦後、ソ連に対してとった政策とよく似ています。ソ連に対しても、アメリカと対立する国に、つまり、東西冷戦を成立させる一方を育てるために援助はしていたし、原爆も含めて技術を盗ませていたんです。あれをアメリカは「盗まれたんだ」とか、「スパイがいたんだ」と言うけれど、そうではない。それを重々承知のうえでスパイにやらせていたわけです。「迂闊だった」と言っているけれども、中国共産党に対しても同じようにやらせていたんです。

高山　迂闊なわけがない（笑）。

馬渕　アメリカにはＣＩＡなどちゃんとした情報機関があるのに、迂闊であるはずはないですよね（笑）。ただ、中国はソ連のようにはいかなかった。中国人はロシア人よりもずる賢いというか、上なんでしょうね。それがアメリカの思惑通りにいかなくなったから、その野望をいよいよ潰さなければならなくなった。そういうことだと思います。

　アメリカは別に中国を倒そうとしているのではなくて、中国のマーケットを中国共産党が自分の有利なように使っているのがけしからんと。それはトランプも同じで「あそこを本当に自由な国にしろ」と。アメリカの企業が自由に活動できればいいんですよね。

　しかし、中国共産党がそれに合意しないから、いまは引き揚げているんです。それはご承知のように、ジョージ・ソロスも同じです。彼ものすごく中国共産党を批判している。あれは別に単なるポーズではなくて、本当にそうだと思います。「おまえは俺たちがつくってやったんだ」ということですよね。

高山　ジョージ・ソロスは中国人の見方が間違っている。中国人は決してそんな恩義を感じないですよね。

馬渕　アメリカがディープ・ステートに徐々に侵略されていったことと同じようなことが日

本でも進行しています。中国共産党と北朝鮮、韓国に、事実上、重要な部分を乗っ取られている。我々はあまりにも知らされず、無知なままです。この間まで、コロナ禍にもかかわらず韓国人と中国人のビジネス入国は許可されていた。そして、第3波で外国人の入国全面禁止になったいまでも、〝特段の事情〟で入れているはずです。彼らは何をしているのか関係者に聞いたら、日本の潰れた旅館や老舗の店を買っていると。表向きは日本の会社になっているかもしれない。しかし裏で資金を出しているのは中国や韓国の会社です。

高山　「800万人も中国人が来た」って大喜びしてるんだからね。観光バスで事故を起こしたのも、中国人が経営している。格安航空会社まで中国の会社が入ってきた。日本の空は日本の会社でいい。

馬渕　中国に買収されているから、一般の人たちが気がつかないうちに事が進んでいる。北海道はもう、自治区ができてしまうかもしれません。

高山　どうすればいいんだろうか。

馬渕　相互主義を発動すればよいのです。中国が日本人の土地所有を認めていないのだから、日本も彼らの土地買収を禁止すればいい。政治的意志さえあれば、すぐに可能です。

利用される少数派

馬渕　ＬＧＢＴＱが政治的に利用された最初の例は、私が知る限りではワイマール共和国なんです。第一次大戦に敗北した後、ドイツで共産主義革命が失敗しましたからね。今度は文化革命ということです。マレーネ・デートリッヒの映画もそうです。退廃文化を広めてドイツ精神を骨抜きにした。だから、アドルフ・ヒトラーが出てきた。まさにトランプと同じです。ドイツを取り戻すと言って、ドイツ国民の支持を得たわけです。途中まではよかったんです。結局、１９３９年9月にポーランドに侵攻して第二次大戦が勃発してからはおかしくなったけれど、それまではまともでした。いまアメリカで行われているのも、実は同じことです。ユダヤ系が支配するハリウッドもアメリカの伝統精神に疑問を呈するような映画を制作して、ポリ・コレを推進してきたわけです。これは高山さんがご専門だけれど。

高山　ＬＧＢＴＱもそうだし、ミー・トゥ運動も、みんな権威を潰しにかかりますよね。

馬渕　権威を潰すというのは理論的な裏づけがあるんですよね。ご承知のようにフランクフルト学派ですが、簡単に言えば、カール・マルクスの従来の暴力革命では社会は動かないから、今度は文化革命でやるということです。それは批判理論と言われるもので、とにかく既存の秩序を批判する。批判さえすればいいんです。建設的な対案を出してはいけないというか、出す必要がない。とにかく批判する。したがって、あらゆる権威を批判しろということになります。

フランクフルト学派はドイツでのフランクフルト大学社会学研究所に集ったユダヤ系学者が立ち上げました。彼ら学者がナチスに追われてアメリカに移住したんです。団塊の世代には懐かしいヘルベルト・マルクーゼなどが出てきて、アメリカのインテリや若者を批判理論で席巻してしまったわけです。ベトナム戦争のときに、それをうまく利用した。リチャード・ニクソンのウォーターゲート事件もあって、政府や権威に対する批判がものすごく表に出てきた。反戦運動の高まりや、敗北の結果、アメリカ人は一時期、自信を失っていた。1975年にマヤグエース号事件がありましたが、アメリカの海軍はカンボジア軍にすらやられたんです。それぐらいアメリカの精神は完全に消沈してしまった。それが極まったのがジミー・カーター政権時代です。

事実上、批判理論は表に出ませんが、ポリ・コレやミー・トゥ運動、その前にもフェミニズム運動がありましたね。そういう運動などを使って、とにかくいまの制度を批判する。少数派が差別されている、と。そういうことを言って多数派に罪悪感を植え付け、多数派を抑える、自信をなくさせるわけです。権威というのはだいたい多数派に寄っているので、それを潰していくということですよね。ヒッピーやイッピーが出てきたのは、ベトナム戦争のころですよ。

高山　リンドン・ジョンソン大統領が公民権法を認めて、アファーマティブ・アクションが起きて、ポリ・コレという順番ですよね。マイノリティ保護というか、弱者救済が始まった。

　私が駐在したのは１９９０年代ですが、新規募集で入ってきたであろう黒人がびしっと背広にネクタイをしてレジをやっている。ところが金額も打てないから、白人がつきっきりで「ここを押すんだ」とやっていた。だから、倍の時間がかかる。ビジネスは停滞する。

馬渕　私は１９８０年代の初めにニューヨークの日本総領事館に勤務しましたが、そのころはアファーマティブ・アクションで入ってきた黒人が銀行にもいました。一部には、ローラースケートでオフィス内をぐるぐる回ったりするものもいた。当然、企業の生産性は落ちる。その典型が自動車産業です。アメリカの自動車産業が没落した一つの原因は、アファーマティブ・アクションです。これを訝（いぶか）しく思うアメリカ人はいましたが、声に出しては言えない雰囲気でした。黒人差別は是正されるべきですが、そのやり方によってかえってアメリカ社会が分断されるようになってしまった。

高山　ホンダはその被害に遭っています。ホンダがオハイオに工場を出すと、すぐにEEOC（政府の雇用機会均等委員会）に訴えられた。それは黒人もヒスパニックも分け隔てなく、人口比に応じて採用するとされていたからです。ただし、仕事に差し障るからホンダは自動車通勤の距離は1時間までとした。そこをEEOCがつけ込んできた。

というのも、1時間圏をもう30分延ばしたところにシンシナティがあって、それを入れると黒人比が上がる。だから、黒人従業員を減らすために1時間にしたんだろうと、そういう因縁をつけられて数百万ドル取られました。因縁は膏薬みたいにどこへでも付き、汚い裁判で金儲けをする。

馬渕　いまの日本の男女共同参画もその一環ですね。だから、いくらでも因縁はつけられる。ちょっと話は飛びますが、ヘイト法もポリ・コレの一種です。あれは因縁をつけるための法律みたいなものですから。もともとヘイトのない、そういう発想がない日本の社会にヘイトという外国の思想を持ち込んだのがヘイト法ですからね。

高山　しかも韓国人と相手を限っていますからね。日本人同士で言っても裁判沙汰にならないけれど、在日を相手にした途端にヘイト法に触れる。

馬渕　一般論として、被害者を正義にするということ。被害者というか、弱者が正義を主張する。こうなると、社会は必ず乱れるんです。

高山　問題は弱者だと言って、利権を取っていることですね。

馬渕　ポリ・コレは、意図的にそういうのをつくり出すんです。日本人と在日を対立させるということでしょう？　ヘイト法をなぜ自民党がやったのか、私はいまだに信じられないというか、自民党はそういうセンスがない。これは日本の社会を分裂させる悪法です。ヘイト法でかなり日本社会の言論は不自由になりました。言論だけでなくて行動においても分断されてきましたね。

高山　アイヌ新法もそうでしょう？　根拠がない。それがなぜ先住民になり得るのか。

馬渕　アイヌは日本の先住民という歴史的に全く根拠のないことを認めた。そういうことを法律で決めてしまった。迂闊であったということならともかく、しかしそれを知ってて狙って行ったとすれば、これは完全に日本を解体する戦略であると言わざるを得ないですね。

しかもそれを推進したのは菅さんです。そこが問題なんですよ。官房長官時代の菅さんの実績を見てると非常に不安を覚えざるを得ない。

モンスタークレーマー

馬渕　フランクフルト学派の批判理論の話が出ましたが、いまの日本の野党がやっているのは、まさにそれです。批判だけする。対案を出してはだめなんです。そんなものを出したら批判にならない。とにかく批判だけしている。

高山　モンスタークレーマーと化した野党というのは、本当に困りものです。ただ、これは私見ですが、クレーマーのもとは朝日新聞にあると思う。朝日新聞は韓国、北朝鮮、中国にとても配慮している。今度のＲＣＥＰもそうだけれど、何か向こうで都合が悪いことが起こると、問題をすり替えてそれを野党にやらせる。モリカケのときは北朝鮮問題がものすごくて、日本の再軍備をどうするかというときに持ち出したりね。今度の桜を見る会にしても……要するに、朝日新聞が載せて騒ぎになった。

馬渕　野党共闘とか連合政権とか言っていますが、それは人民戦線方式なんです。つまり、共産党も一枚かむ。立憲民主党の顔を立ててもいいんだけれど、かんだらあとはもう共産党に主導権を取られるんですよ。枝野幸男党首も党員も全然わかっていない。もちろん自民党もわかっていない。歴史を勉強していないから。日本の野党の表はともかくとして、裏で実権を握っているのは共産党です。

しかもそれが田舎の小さな役場まで入り込んでいるんです。一人の共産党員のクレーマーが行くと、田舎の役所だから「まあ、まあ、まあ」と言って抑えて、結局は彼らの言い分が通ってしまうんです。そういう社会になっていますから、これからが怖いんです。共産党が蜂起する可能性だってないとは言えないと思う。

そのために護憲なんです。第9条です。なぜ共産党が9条を金科玉条のごとく守ろうと言っているのか。もし将来彼らが内乱を起こしたときに、自衛隊に鎮圧されるからです。だから、現憲法の下では軍隊にはさせないということでしょう。歴史的に見れば、共産党は戦争をやって、その疲弊の中から政権を奪取してきたんです。ウラジーミル・レーニンが言うように、「戦争を内乱に持っていけ」と。内乱に持っていって権力を奪取するというのが彼らのやり方です。

ドイツで共産党は失敗しますが、それは軍隊に鎮圧されたからです。軍隊にやられるから、軍隊を認めないというのが、表だっては言いませんが、共産党の一致した戦略です。絶対に認めない。その代わり、政権を取ったらすぐに軍隊をつくります。どこの共産主義国でもそうだった。

いまやもう共産主義でもないだろうなどと思っていると、とんでもない。共産主義はずっと前に死んだのではなくて、もっと強調すれば、アメリカがそうだからです。言い方は共産主義でも、グローバル主義でもいいけれど、アメリカのディープ・ステートが、それで世界を統一しようと考えているから、世界の共産党が蜂起する可能性はある。名前は共産党ではなくても、そういう連中がね。

高山　自民党は戦略的に社会主義化を踏まえながら、社会政策をどんどんやっていますよね。野党の言い分をほとんど取ってやっているでしょう？　あれをもし意図的にやっているのなら、自民党も大したものだと思うんだけれど、その辺はどうなんだろう。まったく意識しないで、やっているのか。

いまの野党というのは、弱者救済みたいな社会主義的な要求をやろうと思っても、自民党が全部やってしまうから、やる問題がないんです。そうすると、桜を見る会で騒ぐしか芸がないんじゃないかな。

馬渕　おっしゃる通りです。日本の野党はそこまで落ちているというか、それしか役割がない。野党はクレーマーとして騒ぐことしかできないんです。

その代わり、自民党が全部やっている。LGBTQまで取り上げ出したでしょう。今度、自民党はこれをやりますよ。夫婦別姓までいったので、この次はLGBTQです。

高山　埼玉の春日部市議がまともなことを言ったじゃないですか。LGBTQがどうのというから窓口を設けたのに、この数年間、LGBTQで被害を受けたという相談は1件もない。1件もない以上、こんなことはやる必要がない、と。この市内にいる人たちは、みんなノーマルでLGBTQではないんじゃないかということを言いました。

それを朝日新聞は非常に批判的に取り上げたけれど、あの後、どうなったのか。あれこそまさに健全な日本の証みたいなものです。

馬渕　もともとLGBTQは内面の問題であって、表で何かする話じゃないんですよね。それに窓口をつくるのがおかしい。

高山　自民党主体で「じゃ、窓口をつくろう」ということになって係員も置いたのに、1件もないというんだから。

馬渕　日本にもLGBTQの方はおられますが、LGBTQ差別を禁止する法律を作ると法律が一人歩きする。これは法律が云々する問題じゃない。心の問題でも肉体の問題でもありますが、個人の問題なんです。それを一律に法律の問題にしたことによってアメリカも失敗した。極端な例は一時期トイレの男女の表示がなくなったこと。オバマがそういう大統領令を発布した。これは常識的に考えたらおかしいわけです。ＬＧＢＴＱの問題については我々の良心に基づいた対応をすればいい。

強いて言えばそういうことが政治の争点というか議論の対象になると、個人差のある内面の問題を権力が一律に規定して管理するという監視社会になる危険性がある。

私が菅内閣に対して不満なのは、治安、国防、外交を全然やらないことです。デジタル庁を目玉にしているようですが、デジタル化への対処は必要としても総理が自らやる話ではない。そして、携帯の料金を下げるといったことも大臣がやればいい話です。要するに、国家観を持ったまともなブレーンがいないということです。

デービッド・アトキンソンが成長戦略会議のメンバーになったというのに、私はびっくりしました。正式な意味での審議会ではないから公務員ではありませんが、成長戦略会議といえば事実上、公務員的な役割を果たすわけでしょう？ そこに外国人を入れるんですよ。これは国家観の問題というか、国家意識がないんですよね。戦後の自民党が徐々に徐々に国家意識をなくしてきた。我々は自民党を保守政党だと思っていましたが、とんでもない。

全然保守じゃない。

国防、外交、治安をちゃんとやってもらうことが先決です。ところが、全部その逆をやっている。治安はどんどん乱れています。悪いけれど、それは外国人労働者を入れているからですし、在日の特権も関係しているでしょう。国際情勢がひっ迫しているのに安全保障政策が見えてこない。それどころか、中国のご機嫌取りに終始している状況ですね。

愚策すぎる観光立国

馬渕　菅政権でひどいのは〝観光立国〟です。これはアトキンソンが吹き込んだんですけれどね。観光立国というのは、言い方は悪いですが、日本を〝後進国化〟するということです。

観光立国というのは、ほかに何も金儲けができない後進国の政策です。フランスは世界最大の観光客受け入れ国ですが、観光立国なんて自分で宣言していない。黙っていても外国人観光客は訪れます。

日本も本来そうあるべきで、それを何も叩き売りする必要はない。本当の意味での観光資源が日本にはある。しかも来たい人だけに来てもらえばいいんです。日本の観光資源をちゃんと守ってくれるから。それをビザを緩和してまで、外国人を呼び込んだらどうなるのか。入国緩和の被害がものすごく出ている。

高山　これまで旅をすると、行った先は中国人だらけだった。黒部に行ったときはびっくりしましたよ。ケーブルカーを待つところが4列に分けられていて、1列だけが日本人。あとは中国系や台湾系も韓国系も入っていて、日本は本当に1列だけ。それで宿は高い。だって売り手市場だから。

それがこのコロナで一掃された。いまも少しは外国人も入っているかもしれないけれど、どこへ行っても日本人です。東名は日本人の行楽の車で十分満杯で、帰りは別のルートを選んで帰らざるを得ないぐらい混んでいた。要するに日本人だけで十分なんですよ。

馬渕　おっしゃる通りです。実際に統計が出ていて、外国人観光客よりも日本人観光客のほうがちゃんとGDPに貢献しているんです。別に来てもらうのはけっこうだけれど、何も呼び込む必要はない。京都がいい例で、いまは清々しています。タクシー乗り場には中国人がずらっと並んでいて、本当に乗れなかった。もちろん市バスも。舞妓を追い回すわ、大騒ぎするわで、全然静かな古都という風情じゃなかった。菅さんはそういう観光政策を経済成長の柱にすると言う。まったくセンスがない。

高山　やっぱり国防をきっちりやってほしいですね。憲法問題も、それとやっぱり教育です。いま中国人学生にはやたらに潤足で全部金を出していて。

馬渕　無償の奨学金ですね。そのうち授業が中国語になりますよ。

高山　アメリカみたいに〝公用語は日本語に〟という法律をつくらねばならなくなる（笑）

馬渕　その兆候はもう出ています。いま標識に必ず日本語と中国語と、ハングルまで書いてあるから。

高山　そうなんですよね。実に見苦しい。

馬渕　そういうのが徐々に徐々に実態的に進んでいるんです。

高山　読めない字というのは一番いやじゃないですか。中国語や英語ならば、まだなじみがあるけれども。

馬渕　中国語は書く必要がないですよ。中国人は漢字がわかるんだから。

高山　そう、日本語と英語だけでいい。もしどうしてもと言うのなら、スペイン語かロシア語を入れればいい。ロシア語だけはRが逆だったりして、ちょっと難しいからね。ああいうのを書くと、逆に知的好奇心をあおると思う。

武漢肺炎と内務省

馬渕　今度はコロナに罰則規定が加わるそうですね。罰則をすべて否定するつもりはないですが、コロナに関しては反対です。実体がわからないのに、恐怖で日本人の行動を縛っている。死者数で見たらインフルエンザのほうがよっぽどひどいのに。

高山　政府はそんなことやらないつもりだったのに、小池百合子が騒ぐからです。韓国と同じで民意大事みたいなこと言って。小池はそういうところはうまい。

馬渕　民意って……自分ですよね。

高山　ないから自分でつくってる。2021年の1月14日にWHOの調査団が武漢に入ったけれど、WHOは調査を2度拒否されて、3度目にしてやっと武漢入りできた。ジョージタウン大のウェスティン教授は、殺人事件が起きた現場に1年後に出かけていって何かが見つかると期待するようなものだと言っている。中国はみんなを締め出し、必死で痕跡をアルコール消毒して、その作業に1年かかったというところでしょう。

本当に自然由来でSARSコロナから変質したものなら最初から隠す必要はない。1年間隠す必要があった中国という国の体質を我々は理解しなければいけない。そうしないとコロナウイルスの本質は見えてこない。中国はそういう生物化学兵器を創るのが不自然でないことがわかる。それがわかれば、中国人の日本進出に対する国防意識も高まる。ところが、そういう悪意に対して日本人はまったくナイーブなんですよね。

コロナについて振り返ってみれば、2020年1月16日付朝日新聞の朝刊に、日本でコロナ患者が初確認されたという記事が出ています。朝日新聞によると、武漢から神奈川在住の30代男性が帰国してきて、病院行ったらコロナだったたっていう話になっているんだけど。

でもこの人は正確に言うと日本人じゃない。帰国も嘘で再入国が正しい。この中国人は武漢にいる父親から感染したんだけれど、武漢の病院は混んでいて診てもらえないから、解熱剤を飲んで成田の検疫をごまかして日本に再入国して病院に駆け込んだ。そうしたら風邪って診断されたんで、2院目の病院に駆け込んで自らコロナと訴えて、検査でコロナと確認されたわけです。

武漢はもう手一杯で病院にも入れてもらえないからって、コロナとわかっていて誤魔化して日本に入ってきた。こういう生物兵器テロみたいなのがするっと入ってきてしまうのも問題なのに、朝日新聞は国籍も書かないし、帰国と書く。日本人への悪意がハッキリ出ている。

　初めての日本人の感染はこの男から数えて7人目。となると、我々は「え、1番目から6番目まで誰なの?」って当たり前に疑問に思う。政府が抑えたのか、新聞が抑えたのか。6人目までは全部中国人なんですよね。

　そのあと、ご存知のように墨田区で屋形船でクラスター感染が起きた。これも武漢からの観光客が原因じゃないかと騒がれた。朝日新聞は『東京100days』って壮大な企画で、屋形船に乗っていた中国人すべてをトレースして「みんな発症していない。〝中国人観光客がクラスターの原因〟という東京都の発表は間違っていた」と報じている。

　コロナと中国人を分離することを一生懸命やっている。日本人がコロナ禍で苦労している中、なぜあえて〝中国人は白〟ってアピールするのか。

馬渕　ビジネストラックを止めても政府は中国人をいまだに入れている。表面上は止めていても〝特段の事情〟があれば入国できてしまうんです。だから全然シャットアウトできていない。意図的に入ってくるケースがあるんだから。

高山　やめればいいんですよね。そのあたりの緩さは自民党外交部会長の佐藤正久が指摘していますね。1月の緊急事態のときも彼が声をあげてやっと中国人入国を止めた。

日本にはかつて内務省がありました。これはGHQに分割されてしまったわけですが、内務省には建設省、運輸省、厚生省、労働省、警察庁、入国管理庁がひとまとめになっていた。このコロナ禍において日本が後手後手に回っているのは、入管（法務省）、防疫・検疫（厚労省）、警察権（警察庁）がバラバラで連携できていないのが大きな原因でした。G7の中で内務省的な組織が存在しないのは日本だけですからね。

台湾や韓国がコロナを抑えているのも日本の置いた総督府に内務省的な機能がきちんとあるから。入管と防疫・検疫と警察権がセットになったシステムがあれば、コロナ禍にもっときちんと対応できますよね。

馬渕　まさに、おっしゃる通りです。内務省の話をするとね、軍国主義の再来だと騒ぐ連中がいますが、そういうことじゃない。先進国の中で、日本だけがパンデミックに対して必要セクションが連携できない状態であるということなんです。

高山　戦前、検疫はお巡りさんの仕事だったんですね。1919年当時にコレラが流行って最前線で奮闘されて殉職された警察官が警視庁だけで何十人もいた。一番肝心なのは警察業務と厚生省業務がセットになって、ある程度の強制権を持たないと防疫はできません。

1人目の武漢から再入国した中国人も、入管と防疫・検疫と警察権がセットのシステムだったら、野放しにはならなかった。警察庁と厚労省が協力していたら、すぐこの男を引っ張って事情聴取、武漢の異常事態の実情が閣議にあがって迅速に入国禁止の措置がとれたはずです。この内務省の解体と省庁の縦割りも、ＧＨＱの日本弱体化の施策ですよ。

馬渕　ヘッドクォーター、しっかりした司令塔がないのがもどかしいですね。

高山　新聞は自分たちが司令官だから、安倍を潰すためには、疑惑だけでよかった。取材しなくていい。そんなくだらない疑惑をコロナ対策しなきゃならない時期にぶつけた。内務省構想を取り戻そうというときに、朝日新聞は森友・加計、桜を見る会ですよ。こんな日本を破壊する意図的な新聞はない。

馬渕　いま私が危惧しているのは、今回のコロナ騒動に乗じて日本がこれまで以上の監視社会あるいは管理社会になってしまうことです。マスクをしないと犯罪を犯しているような後ろめたさを感じざるを得ない雰囲気、そして営業の自粛。たまたま近場のレストランに行ったら夜８時には閉まったりして。日本だけでなく、アメリカも含めて管理社会にしようとする不穏な動きを察知しなければいけない。

ＰＣＲ検査で陽性反応を示した人と感染者とは違う。こんな基本的なことすら政府も自治体も発表しない。そして毎日毎日、感染者が増えたということで恐怖を煽（あお）っている。恐怖は監視・管理社会を実現する上で非常にうってつけな方法。コロナの恐怖を植え付けることによって国民を有無を言わさず一定の方向に引っ張っていく………歴史を見れば不安を感じざるを得ません。

菅さんが河野さんをワクチン担当大臣に指名しました。ワクチン担当大臣とは、何をするのか。元役人の感覚からすると、法律をつくる。たとえばワクチンを義務化する法律がつくられたら……。私の勝手な想像ですが、ワクチン証明書を持ってないと電車にも乗れない、店にも入れない、そういうことになりかねない。それを止めるのは私たちの健全な常識だと思います。

多民族国家の罠

馬渕　2019年4月施行となった改正出入国管理法、これも菅さんが官房長官時代に推進したもの。これはもう私ははっきり申し上げますが亡国の法案です。これに伴なって新しい在留資格〝特定技能〟が設けられました。いまは条件を厳しくしていますが、そのうちそれが効率的でないということに必ずなる。その結果は、外国人の単純労働者、低賃金労働者の流入です。技能実習制度が〝技術移転による国際貢献〟という本来の目的から逸れてしまっているパターンと同じです。

すでにアメリカがやめてヨーロッパも方向転換しているのに、なぜ日本だけが移民政策を推進するのか。いまは中国人も含めて、東南アジア人がものすごく増えているんです。それで犯罪が増えているんですよね。

高山　豚の子からナシからブドウから、なんでも盗んでいっちゃうんだ。元技能実習生の犯罪というのもニュースになっていますね。

馬渕 ご承知の通り、技能実習生を受け入れても、事業主として責任を果たさないところが増えました。要するに、体のいい低賃金労働者という扱いなんです。そういう人たちが帰らずに居残っている。

高山 なるほど。これも内務省を解体した影響ですね。職を失ったら送り返すというのはないんですか。当然あるんでしょう？

馬渕 あるはずです。コロナで飛行機が飛んでいなかったから帰れないというんでしょう。監督というか管理が全然できていない。いまはコロナでそういう人たちが来なくなったから農作業ができなくなった、と。そんなことがニュースで流れるぐらいです。

〝特定技能〟という在留資格も政府の説明では経済発展を維持するためとなっていますが、そんな日本に都合のいい説明は外国人に通じない。彼らは日本でひと儲けするために来るのですから。それに日本の都合で外国人を使ったら、今度は国際機関に文句を言われる。そういう危険を内包しているんです。

私は以前から日本の多民族国家化、移民問題には警鐘を鳴らしていますが、これは2000年代のはじめに諸外国が声を上げたんです。「日本は少子化で大変だ。これから移民を入れなきゃならない」「そうしないと日本は沈没する」と。

ブレジンスキーが2003年に出した本の中で、CIAの予測を引用して「日本は320万人の移民を数年間入れる必要がある」と書いている。その1年前の2002年にはイギリスの経済誌『エコノミスト』が「日本は毎年500万人の移民を必要としている」と。私が度々引用をするジャック・アタリは2006年に出した本で「日本が人口減少に対処するためには1000万人の移民受け入れが必要だ」と親切にも日本のことを心配してくれている。

でも彼らが日本のことを思って心配してくれるはずはない。つまり日本に1000万人規模の移民を受け入れさせるというグローバル勢力の宣言なんです。これはそう読まなければいけない。これを当時の日本の政治家も有り難がった。中川秀直さんとかね。官房長官までやられた人です。そういう人が率先して1000万移民構想を出し始めた。

移民の目的は何かというと、当然日本を多民族国家化することです。移民を入れることによって単一民族の日本を多民族国家にするということは、日本の秩序を混乱させ、分断させるということ。そうすれば簡単に日本をグローバル市場に引き込めるということです。世界をグローバル化で統一するためには物と金と人の移動を自由化しなければならない。物の移動の自由化はいわゆるWTOなどの自由貿易協定で事実上実現し、資本移動の自由化

もＩＭＦの指導のもとにほとんど実現できた。その中で一番遅れている人の移動の自由化。それを推進するのが移民なんです

アメリカではメキシコ国境から不法移民が入ってきた。ヨーロッパではシリア内戦が使われた。この次のターゲットは日本。それを推進しているのはなんと自民党政権です。人手不足という口実のもとにね。そこまで不足してないですよ。何が起こるか、それはアメリカやヨーロッパですでに起こったこと。まず、治安が悪化します。それは移民が悪いということではなく、彼らの生活文化と日本の生活文化は違うということです。彼らは日本の習慣に馴染めず彼らの排他的共同体、国家内国家をつくる。池袋の一角や新大久保の例からもわかるように。政府がいかに言い繕おうとも、これは日本社会を分断する結果になります。

高山　もうアメリカがやめてヨーロッパもやめたって言ってんのに、なぜ日本だけがそれを推進するのか。アメリカはバイデンになって、移民受け入れを容認したから、すぐさまホンジェラスから移民キャラバンが北上を始めましたね。

馬渕　彼が話してすぐに９０００人も動き出すはずがないですよね。

高山　誰が資金を出しているんですかね？

馬渕　ジョージ・ソロスだと思います。

高山　前と同じか。準備してたんですね。入管問題だけでなく、帰化に関しても日本は緩い。反日活動家も平気で帰化させてしまう。

腑に落ちないのは帰化しておきながら小樽の銭湯を人種差別で訴えたアメリカ出身の男。日本の入浴マナーをわからない外国人の入浴に困った銭湯が外国人の入浴を〝お断り〟にしたら、人種差別で訴えられた。たまったもんじゃないし、いや、それはないだろう、困っているんだから問題解決に協力してやりなさいよ、と。日本は帰化の際、アメリカみたいに国家に忠誠を誓わせないんですよね。

馬渕　帰化した方に聞いたんですが、忠誠は求められない。やはり日本は単一民族国家だから、アメリカのような多民族国家と違って忠誠を求めなくてもまとまる。そういう伝統がある。いまは崩れていますけれどね。

政府に頼らず我々ができること。それは我々が伝統的な力を発揮することだと思います。昔は渡来人と言っていましたが、渡来人を日本人化させたこの国の雰囲気とでも言ったらいいでしょうか。これは日本の伝統文化の持つ力です。日本は単一民族国家ですが、けっして純潔民族ではない。いろいろな国の方が入ってきて日本人になった。

外国のものを人も含めて土着化させる。つまり日本化させる力。いま、この力が弱ってると言えます。昔は渡来人もみんな日本人になった。それは日本の伝統文化がしっかりと存在して、外国の人を土着化させ、同じ日本人として共存させた。その力が弱まってるから国家内国家がつくられてしまう。日本全体がそういう〝土着化力〟を取り戻すことが必要なんだと思います。

高山　GHQがやったのは日本否定。日本人は特別な民族ということを否定したんです。自分たちは〝丘の上の町〟とか言って、アメリカ例外主義（American exceptionalism）なのに。そして「単一民族がいけない」と。どうしても多民族国家にしたいんだ。特別な日本を壊したい。でも、日本人は明治の近代化において大きな事業をやっている。日本人は覚醒して、そういう自覚を持ってほしいですね。

馬渕　そうはさせないのがGHQの呪縛なんですよね。

高山　占領が終わってもメディアだけはそのまま。でも70年以上やり続けても、いまだに日本人の洗脳には成功していない。

馬渕　70年洗脳し続けても、成功していないのは皇室があったからだと思います。我々の中には無意識のうちに君民一体の精神がある。

高山　アメリカが混乱してモヤモヤが続いている隙に、なぜモヤモヤなのかを日本人も考えましょう。まず70年を振り返ってみて日本人の足跡、先の戦争の意味をはっきりつかまないと。まずはそこから。そうしないと目を覚ますことにはならないですしね。

馬渕　東京裁判史観の見直しということですよね。戦勝国、つまり第二次大戦を背後から操ったディープ・ステートが自らに都合良く書いた歴史はもとに戻さなくてはいけません。

高山　アメリカが脇見をしているうちに日本人はやることあるでしょ、と。YouTubeで馬渕さんの『ひとりがたり』を観るとか。つまるところ、日本人論ですからね。

馬渕　結局、覚醒というのは何かというと、〝我々日本人とは？〟ということをもう一度問い直すということなんですよね。

エピローグ——新聞の堕落

高山正之

新聞は本来、時の政府と不即不離というか、政府の宣伝広報の道具という生い立ちを持つ。雛形はシーザーの壁新聞「アクタ・ディウルナ」だ。ガリアに遠征したシーザーは現地の戦いや彼らの変わった習俗とか興味深い話を紹介しつつ、ついでにローマ元老院の政策やありかたを論評した。いまの社会面、芸能面に政治面を備えた新聞の形をもう備えていた。

それで大衆の心を摑んだシーザーは事実上の皇帝、終身独裁官に就いた。因みにジャーナリズムのジャーナルはこのディウルナを語源にしている。

人工的に作られた米国はその意味で新聞はシーザーのとき以上に大きな役割を果たした。ただ新聞人の資質には問題があった。

3代大統領トーマス・ジェファーソンが新聞記者を志望する学生に語った話が残っている。

「新聞とはどんなに美しい事実でも、そこを通すと二目と見られぬ醜悪なものにする装置（apparatus）だ。記者などになるものじゃない」「新聞の中で比較的嘘が少ないのは広告のページだ」とも言った。当時から誇大広告があったことを窺わせて興味深い。

ジェファーソンはそうやって見下す一方で新聞が必要悪と認め、積極的に新聞を抱き込んでもいる。

日本の新聞がしばしば引用する彼の言葉に「新聞なき政府と政府なき新聞とどちらを選ぶかと問われれば躊躇わず後者を選ぶ」がある。いかにも新聞の重要性を説いた賢人の言葉みたいに扱われるが、笑わせる。

だいたい「新聞なき政府」がありえないことはローマの昔から実証されている。施策を実行するのに新聞がなければ何もできない。新聞は政治の排泄物みたいなもので、なければ糞詰まりで死んでしまう。

一方の「政府なき新聞」は実は今度の大統領選での異様な展開を暗示している。新聞が時に政府を黙らせ、国民をあらぬ方向に持っていく可能性もあると言っているのだ。

米国は18世紀末に独立したが、自国の通貨発行権を持っていなかったことは本書の中で馬渕さんが言及されている通りだ。伝統も組織も未成熟なまま取り急ぎ独立した国ゆえの不具合で、それが現在に至るまで問題を起こし続けているが、それを内包しながらも政府と新聞は国益追求という一点で見事な連携を果たしてきた。

第7代大統領アンドリュー・ジャクソンはその通貨発行権で暗殺未遂に遭う。そのピンチを救ったのが歌にも歌われるデビー・クロケットだ。彼は翌年、再び米市民の耳目を集める。テキサスのアラモ砦でメキシコ軍と戦い、仲間200人とともに全滅したからだ。

新聞は「リメンバー・アラモ」を書きたて、志願兵軍団がメキシコ軍を討った。それで米国はメキシコの豊饒の大地テキサスを奪って米国領に併合した。日本のほぼ2倍の広さだ。デビー・クロケットは大いなる国益をもたらす戦いの人柱となったと新聞も歴史もそう語るが、それは表向きに飾り過ぎた話だ。

米国はジェームズ・モンロー大統領のときからここに目を付け、メキシコ政府に米市民の入植を求めた。「いいですよ、ただし我が国は自由国家。黒人奴隷はお断り」の約束だったがジャクソンの時代には2000人もの黒人奴隷を連れ込んでいた。

メキシコ政府は約束を守れと言い、対して米入植者はテキサスの独立を叫んだ。メキシコは怒り、アラモを攻めたが、ここで米国は故意にアラモを見捨てて200人を死なせた。ただ全滅ではない。メキシコ軍は婦女子と黒人奴隷を保護している。実に立派だった。

しかし新聞はそんな話は触れもしないで開拓時代の非業の死のように描く。

自国民を故意に犠牲にして新聞が大騒ぎして国益を得る手法はこれだけではない。スー族との戦いでも同じことをやり、スペイン領キューバの紛争では戦艦メインを派遣して自爆させ、米西戦争を引き起こした。戦果はキューバに加えフィリピンとグアムを手に入れ、太平洋戦略拠点を確保した。

この戦争では大統領マッキンリーの友人で新聞王のウィリアム・ハーストの言葉が残る。彼は挿絵画家フレデリック・レミントンをハバナに派遣し、「お前はカメラを用意しろ。我々は戦争を用意する」と言った。汚いやり方だが、新聞と政府はともに国益を得ることで連携していた。

ところが、国益と政権と新聞の足並みが第一次大戦のときに微妙に乱れていく。本書にあるように新聞はドイツを悪者にするフェイクニュースを流し、ウッドロウ・ウィルソンは公約を破って参戦を決めた。結果、米軍将兵11万人が戦死し、兵士が戦場から持ち帰ったスペイン風邪で市民85万人が死んだ。

しかし大きなダメージを蒙った国民に還元されるものは何もなかった。

第二次大戦でもそれは繰り返された。ルーズベルトは「参戦せず」を公約しながら、日本を挑発し続けて真珠湾を攻撃させ、米太平洋艦隊が撃滅された。アラモの10倍の死者が出て新聞は「リメンバー・パールハーバー」を叫び、米国は太平洋と大西洋を戦場にして戦い、第一次大戦の3倍の戦死者を出した。

国民にとって不都合な戦争は続き、朝鮮戦争で3万6000人が死に、息つく暇もなくベトナム戦争に突入し、5万8000人が死んだ。

グレナダ、パナマも攻めた。

そして9・11が起きる。新聞は「リメンバー・ワールドトレードセンター」を煽り、イラクを攻め、アフガンにも戦争を仕掛けた。

何の国益もない戦争が続き、その間に戦争をやめようとしたケネディは暗殺され、ニクソンは辞任させられた。

そして今回「戦争をやめる」と言ったトランプが異様な大統領選でホワイトハウスを追われた。

米市民はここに至って「もしかして我々の知っている米国政府とは別の組織が米国を操っているのではないか」と怪しみだした。

あのウィリアム・ハーストのように新聞もそっち側と組んで国益とは無関係の戦争を煽っ

ているのではないか。そう考えるとニューヨーク・タイムズやCNNがトランプを終始詰り倒すのか、すっきり理解できる。

日本の新聞はそうしたしがらみはないはずだ。ワシントン駐在の特派員は岡目八目、寧ろ冷静にその辺を評価できるはずだが、本書にもあるように、そうした記事は見えない。日本は今、極悪非道の支那を面前にしている。反日親中のバイデンはもはや頼れるパートナーではない。

日本の新聞はいまこそ健康なジャーナリズム精神を取り戻して、自衛できるようマッカーサー憲法からの脱却とか、まともな世論喚起を考えてもらいたいものだ。

令和3年2月吉日

高山正之

高山正之　（たかやま　まさゆき）

ジャーナリスト
1942年東京生まれ。1965年、東京都立大学卒業後、産経新聞社入社。社会部次長を経て、1985年から1987年までテヘラン支局長を務め、1980年代のイラン革命やイラン・イラク戦争を現地で取材。また、アジアハイウェー踏査隊長としてアジア諸国を巡る。1992年から1996年までロサンゼルス支局長。1998年より3年間、産経新聞夕刊にて時事コラム「高山正之の異見自在」を執筆。2001年から2007年3月まで帝京大学教授を務める。『週刊新潮』「変見自在」など名コラムニストとして知られる。著書に、『アジアの解放、本当は日本軍のお陰だった!』（ワック）、『変見自在』シリーズ（新潮社）※最新刊は『変見自在 コロナが教えてくれた大悪党』、『アメリカと中国は偉そうに嘘をつく』『中国と韓国は息を吐くように嘘をつく』（徳間書店）など多数。馬渕氏との共著には『日本人が知らない洗脳支配の正体　日本を見習えば世界は生き残れる』（ビジネス社）がある。

馬渕睦夫　（まぶち　むつお）

元駐ウクライナ兼モルドバ大使、元防衛大学校教授、前吉備国際大学客員教授
1946年京都府生まれ。京都大学法学部3年在学中に外務公務員採用上級試験に合格し、1968年外務省入省。1971年研修先のイギリス・ケンブリッジ大学経済学部卒業。2000年駐キューバ大使、2005年駐ウクライナ兼モルドバ大使を経て、2008年11月外務省退官。同年防衛大学校教授に就任し、2011年3月定年退職。2014年4月より2018年3月まで吉備国際大学客員教授。著書に、『国難の正体』（総和社／新装版ビジネス社）、『知ってはいけない現代史の正体』（SBクリエイティブ）、『米中新冷戦の正体　脱中国で日本再生』、（ワニブックス／河添恵子氏との共著）、『天皇を戴くこの国のあり方を問う新国体論 精神再武装のすすめ』（ビジネス社）、『国際ニュースの読み方 コロナ危機後の「未来」がわかる!』（マガジンハウス）、『馬渕睦夫が読み解く 2021年世界の真実』（ワック）など多数。

世界を破壊するものたちの正体
日本の覚醒が「グレート・リセット」の脅威に打ち勝つ

第1刷　2021年2月28日

著　者／高山正之
　　　　馬渕睦夫

発行人　小宮英行
発行所　株式会社徳間書店
　　　　〒141-8202　東京都品川区上大崎3-1-1 目黒セントラルスクエア
　　　　電話　編集03-5403-4344／販売049-293-5521
　　　　振替　00140-0-44392

印刷・製本　大日本印刷株式会社

ISBN978-4-19-865238-8